THE STRATEGY BOOK

How to Think and Act Strategically to Deliver Outstanding Results

MAX McKEOWN

「戦略」大全

マックス・マキューン／児島修 訳

大和書房

THE STRATEGY BOOK

by

MAX McKEOWN

はじめに

本書の目的は、戦略的な思考を高め、戦略的なリーダーになるための秘訣を読者に提供することにある。また、「戦略とは何か」について真の理解を深め、〝未来を形づくる〟ために役立つ、豊富な戦略ツールも紹介する。

本書自体も、明確な戦略に基づいて書かれている。まず、戦略に関する概念をできる限りわかりやすく、かつ十分に詳しく説明することを目指した。戦略の原則をしっかりと理解できると同時に、シンプルで実践的な本になっている。企業が置かれている複雑な状況の分析や戦略策定に役立つ、さまざまな戦略ツールについてもわかりやすく説明する。

本書で紹介する概念はすべて、私の長年の経験と知識に基づいている。私はこれまで、さまざまな企業とともに、戦略に関する仕事をしてきた。そのなかには、世界で最も称賛されている企業や、世界で最も意欲的な小さな新興企業もある。経営が順調な企業もあれば、危機に直面している企業もあったが、どこも成功を目標とする点は共通していた。

本書は、そのようなさまざまな状況に置かれているビジネスパーソンすべてに実践的な方法を提供するものだ。同時に、戦略をアカデミックに勉強したい人にとっても、価値ある情報源になるだろう。戦略に関する書籍には、平易すぎたり、難解すぎたりするものが少なくない。この本はその轍《てつ》を踏まないように、戦略の最重要概念を簡潔かつ十分に説明するとともに、実用性と、楽しく学べることも重視している。

［本書の使用方法］

この本は6つのパートで構成される。第1〜5部では、さまざまな規模の企業のリーダーやチームが戦略策定と実行において直面する、重要かつ手強い課題に取り組む。

各パートは複数の項目から構成される。本書は最初から読み進める形式ではあるが、興味のある項目を先に読んでもかまわない。各項目には明確なテーマがあり、初心者から専門家まで、わかりやすく戦略について学べるようになっている。

項目は、次のように構成されている。

〈概要〉項目で紹介する戦略原則の要旨や役立つ点などを簡単に説明する。
〈使用すべきタイミング／頻度〉この原則を検討・実行すべき頻度。
〈主な対象者〉項目との関連の高い人。
〈重要度〉原則の重要度。6つ星が、最も重要な原則になる。

〈成功事例〉同種の課題に直面し、項目の原則を用いて問題を解決することに成功した企業の事例を紹介する。パワフルで、記憶に残りやすい学習方法だ。

〈目標〉原則の重要性と、何を達成すべきかを明確にする。

〈背景〉原則がさまざまな状況にどう当てはまるか、リーダーが戦略を成功させるためにどのようにその状況に対処しなければならないかを検討する。

〈課題〉原則の実行が難しい理由と、効果的に対処する方法を明らかにする。

〈成功の基準〉課題を成功させるために必要なもの。

〈落とし穴〉原則の実行に陥りがちなミスや問題点。

〈チェックリスト〉原則の実現度を測るための基準。

〈まとめ〉原則を実現するためにとらなければならない行動。

〈こんなアイデアも〉原則を支持し、補完する、他の著者による主張の紹介。


第6部に、重要な戦略ツールキットをつけた。最重要のモデルと戦略ツールを実用的かつわかりやすい用語で説明する。ツールキットを先に読み、第5部までの項目に戻ってもかまわない。

本書は、明確に構成され、使いやすく、繰り返し何度も読み返せる実践的な本である。

目次

第4部 戦略で勝つ

第5部 戦略を活かす

第6部 戦略ツールキット

戦略

0

「戦略とは何か?」を知る

戦略とは、「未来を具体化すること」だ。だからこそ、私たちは戦略に興味を持つ。私はこれが最善の定義だと考えているが、戦略の定義には他にもさまざまなものがある。もちろん、戦略の歴史をすべて知る必要はないし、博士号やMBAを取得しなくてもいい。それでも、基本的な知識があることはとても大切だ。

［使用すべきタイミング／頻度］
第１部に進む前。
また、折に触れて見直す。

［主な対象者］
まず、自分。次に、全員。

［重要度］
★★★★★★

グーグルはエンジニアに、勤務時間の20％を使って、自由に実験的な開発をすることを許可している。エンジニアの一部が、この自由時間を使ってオンラインの動画サービスを開発した。この実験的なサービスを見た幹部は、オンライン動画の重要性に気づき、当時、人気が上昇していたユーチューブを買収した。

結果、グーグルは従来のウェブ検索に加え、動画検索においても世界で最も人気の検索サービスを保有することができた。「20％ルール」戦略が、見事に効果を上げたのだ。

[目標] さまざまな戦略パターンを把握する

戦略の歴史は、ビジネススクールでも教えられ、多くの教科書にも記載されている。歴史を知ることで、豊富な知識に基づいて戦略を論じられるようになる。また、それぞれの戦略の目的や、その限界を知ることができるなどのメリットもある。

「戦略（strategy）」の語源はギリシャ語で将軍や軍隊（stratos）を率いる人を意味する「strategos」だ。この言葉は紀元前508年のアテネ、ある軍事会議で10人の将軍のリーダーシップを記述するために初めて用いられた。彼らは、効果的なリーダーシップと目標達成についての原則をつくりあげた。これには、戦争での戦い方や兵士の士気を高める方法なども含まれていた。

戦略に関する類似の概念は、アジアでも生まれた。なかでも最も有名で、現在でも多くの人に読まれているのが、『孫子の兵法』だ。戦争に勝ち、目標を達成するためにリーダーが従うべき数多くの原則を記した同書は、現在に至るまでさまざまな戦略書のパターンをつくった。

現在では、経営者やコンサルタントが戦略について語るのは当たり前になっているが、「企業戦略」という概念に多くの注目が集まり始めたのは1950年代に入ってからだ。ビジネスリーダー向けの戦略書が現れたのは、第二次世界大戦後のことだ。

アルフレッド・チャンドラーは、1960年代に戦略と組織構造の関連を調べた歴史家だ。チャンドラーは、企業が選択した戦略は、企業構造の変化を導くと主張した。また彼の仕事は、ビジネスの世界において「戦略」とは、決して新たな概念ではないことも示している。なぜなら、それは企業が実際に行っていることに基づいているからだ。

戦略経営論の父と呼ばれるイゴール・アンゾフは数学を学び、実業界で活躍した後に学者になった。1965年に出版された著作『企業戦略論』（産業能率大学出版部）は、企業幹部が将来の成功を目指して計画を作成する方法を、包括的にとらえようとするものだった。

アンゾフは、詳細な計画を用いた戦略アプローチにおいて最も有名な著者だ。彼の考えは、管理を重視するマネジメントスタイルにきわめて適している。アンゾフは、CEOは戦略計画チームと連携して、過去を分析し、未来を予測できると主張した。初期のコンピューターは、中間管理職や現場の社員向けの指示として使われる計画を導き出すため、大量の数字を計算することに使われた。

一方、カナダ人の学者ヘンリー・ミンツバーグは、計画への過度な執着には意味がないとする立場をとっている。彼は、意図した通りに実行できる戦略計画はわずかしかないと主張した。ミンツバーグは、大局観（戦略）は、個別の行動の積み重ねによって決定されるとし、ほとんどの戦略は現実への適応（学習）から生まれると考えた。アンゾフとミンツバーグに代表される、「計画か学習か」という異なるアプローチの論争は現在でも続いている（322ページ）。

アメリカ人の学者マイケル・ポーターは、戦略の数学的アプローチを継承した。ポーターにとって、戦略とは明確なモデルを持った詳細な分析だ。これらのモデルは、企業が市場で競合企業に対してどのようなポジションをとるべきかを決めるものである（276ページ）。

［背景］「創造的」と「分析的」の2つのアプローチ

戦略の歴史は、ここに述べたものより複雑だが、別の見方をすれば、より単純なものだとも言える。つまり、戦略を創造的かつ人間的な側面からとらえようとする考えと、数字に基づく分析的な側面からとらえようとする考えに二分できるのだ。

この2つのアプローチはともに重要だ。戦略を考えるうえでは、これらのアプローチの最適なバランスを状況に合わせて検討することが大切になる。次の問いを考えてみよう。

・現在の会社の業績は？
・競合企業との比較結果は？
・会社が達成を目指しているものは？
・人々の要求に応えるにはどうすればよいか？

1、2番目は分析的アプローチで、市場でのポジションと比較対象に関わる。3、4番目は創造的アプローチだ。これらは社員の願望や社会貢献への意欲に関わる。これらは相互関係を持つが、そのバランスはさまざまだ。このバランスは、好みや状況で変わる。

［課題］状況によるアプローチの使い分けを

市場が落ち着き、現状に満足している場合は、予測可能な方法で計画を立て、適応を続けるべきかもしれない。しかし市場が活発で、自社の状況を変えたい場合、製品やサービス、方向性などを改善するために、創造性を重視したアプローチをとるべきかもしれない。

この本は分析的なツールと創造的なツールの両方を対象にしている。私は、創造的でダイナミックな戦略が効果的なアプローチだと考えている。ただし、当然分析的なツールにも価値がある。それらを創造的な方法で活用して価値を生み出したり、他社が真似《まね》できないような独創的な何かを生み出すこともできる。これらの点についても説明していく。

［成功の基準］価値あることを実行するための能力を得る

戦略への分析的なアプローチと創造的なアプローチの違いを見ることで、戦略の原則を理解できるようになる。また、第6部の戦略ツールキットとこの本を通じて紹介する原則を組み合わせることで、大きな視点で戦略的な思考ができるようになる。

この本では、戦略会議を効果的に行う方法から、計画への固執よりも状況への適応のほうが重要である理由、すぐに（または変更を加えて）適用できる具体的な戦略など、さまざまなことを学べる。目標は、無駄にならない何かを実行する能力を高めることだ。これは、単に目先の競争に負けないようにすることよりも、大きな価値がある。

チェックリスト

□近代的な企業戦略の基本的な背景を理解している。
□独創的な戦略と、分析的な戦略の違いを認識している。
□創造的なツール・原則と、分析的なツール・原則を併用している。

□安定した市場と活発な市場を区別して対処している。
□戦略の持つ、単に競合企業に勝ったり、真似する以上の価値を理解している。

［落とし穴］　1つの戦略だけに依存しすぎるな

ある特定の戦略への過度の依存は危険だ。分析や創造性、行動を無視してしまえば、それは戦略の全体像を見逃すことになる。組織によっては、定番の戦略的アプローチがすでに存在する場合もある。その場合、そのアプローチが上手く機能しているか、改善すべき点はないかを注意深く検討しなければならない。

まとめ

◎分析的な戦略と、創造的な戦略の違いを認識しよう。
◎自社の戦略へのアプローチが、分析的なのか創造的なのかを見極めよう。
◎会社の従来のアプローチが、現在の状況に適したものかを判断しよう。
◎本書を読み進めるうえで、常に「分析的か創造的か」という原則を念頭に置き、「すべての戦略ツールは両方の方法で使える」ことを忘れないようにしよう。

◎分析的／創造的なアプローチの両方を自分のチームに導入しよう。チーム内で、これらのアプローチがそれまでどのように使われてきたか、このバランスを今後どのように変更できるかを定期的に議論しよう。

［こんなアイデアも］

リチャード・ウィッティントンは、「戦略は難しい」と主張している。戦略が容易であるなら、すべての企業が成功するだろう。しかし現実はそうではない。重要なのは、より深く考える方法、異なる視点で考える方法を学ぶことだ。

ウィッティントンは戦略のアプローチを、①クラシカル――意図的なプロセスで利益を最大化する、②エボリューショナリー――創発的なプロセスで利益を最大化する、③システミック――意図的なプロセスで複数の目標を達成することを目指す、④プロセシュアル――創発的なプロセスで複数の目標を達成することを目指す、の4つに分類している。

第1部
戦略家になる心構え

戦略とは、未来を形づくることだ。だが、たとえ優れた計画でも、常に現実社会で機能するとは限らない。本書の目的は、戦略を使って「本当に欲しいものを手に入れるために、いま何をすべきかを明確にすること」であり、戦略を実践的なものにすることだ。

効果的な戦略の手段やプロセスは数多くある。だが、戦略の核心部分は戦略を使う人間にある。戦略とは、目標を達成するために、あなたが何を理解し、どのように考え、どう行動するかなのだ。

また、戦略とは、未来を具体化するために、目指す方向に現実を動かしていくことでもある。現実世界をつくりあげている人々とその行動を深く理解することで、賢く戦略を策定できるようになる。

戦略は、誰もが日常で使っているものだ。職を得る。教育を受ける。マイホーム購入や趣味のために貯金をする。恋人や配偶者を愛する。誰もが、将来をより良いものにするために、何らかの戦略的な行動をとっている。

戦略家になる、すなわち戦略的に思考するということは、高い実現能力を持つようになるということだ。ビジネスの世界では、戦略が通常どのように実行されているかを理解しなければならない。上司や株主らの支援を得られる戦略づくり、戦略を使って現実社会で成果をあげる方法も理解しなければならない。

未来が望み通りになる保証などどこにもない。計画をつくることと、それを実現させることは別の話だ。世界は、私たちの計画能力を超えた複雑さを持っている。だがそれは、良い戦略家が受け入れなくてはならないことだ。起こったことに反応し、現実に対応することは、計画を立てるのと同じくらい重要だ。

ビジネススクールの講師やコンサルタントは、戦略ですべてを解決できるような主張をすることがある。まるで、戦略の神秘的な力を信じるカルトのようだ。彼らは戦略の実践的な側面を軽んじている。これでは現場の社員はピンと来ない。

逆に、戦略について冷ややかな態度をとる者もいる。いくら戦略を説かれても、積極的にそれに関わろうとしない。戦略プロセスが導入されることを、退屈な何かが始まるととらえ、人員削減や、ピント外れの変革が行われると身構える。彼らは戦略を、現実世界では役に立たない机上の空論だと見なしているのだ。実際、このような考えが、真理を突いている場合も少なくない。

それでも、私たちは未来を形づくろうとする生き物だ。人間は過去の経験を用いて、最短距離でより良い未来に到達しようとする性質を持つ。これが戦略の本質であり、現実世界で戦略が価値を生み出せるかどうかのカギになる。

質の高い戦略家になるためには、自分自身の考えから始める必要がある。物事の因果関係を見極める。戦略の手段とモデルの基礎を学ぶ。そして、現在地を確認し、周りで起きていることを把握し、流れを読み、チャンスをつかまなくてはならない。

戦略

1 未来を形づくる

企業戦略は、企業の未来を形づくることである。戦略は、目標や意欲を達成する方法を具体化するために使われる。私たちは戦略を用いて、どこに行こうとしているのかと、そこに到達するために何をすべきか（つまり目的地と手段）の間を行ったり来たりしながら考える。

良い戦略とは、未来を具体化するという目的地までの、最短距離を描くものである。

［使用すべきタイミング／頻度］

すべての問題、すべての機会。

［主な対象者］

組織全体。

［重要度］

★★★★★★

ザ・チーズケーキ・ファクトリーは、年商10億ドルの企業に成長した。成功の秘訣は、同社が実践したいくつかの戦略にある。

同社は「ユニークかつカジュアルな雰囲気で、業界で最も幅広いメニューを提供するレストラン」というコンセプトを打ち出した。また、最高に美味しいチーズケーキもつくった。同社は毎年、従業員１人当たりの研修に２０００ドルを費やし、サービスの質の向上に努めている。

これらは戦略的な意思決定の結果だ。だが、すべてが計画通りに行われたわけではない。もちろん、まったくの偶然から生じたものではないが、最初から寸分の狂いなく計画されたものでもない。市場を把握し、競合企業の模倣《もほう》をやめ、投資家や管理職、従業員にとって望ましく、信頼される方法で未来を具体化したことの結果なのだ。

［目標］未来をつくる〝４つの質問〟に明確に答える

組織の未来を形づくるには、目標を目指す全員の取り組みが不可欠だ。戦略では、組織内外の人間すべてを考慮しなければならない。また、組織の未来についてのチャンスとリスクの両方を視野に入れることも大切だ。そしてこのプロセスを、想像力や意欲、創造力を駆使して顧客や製品、資源を理解することで探るのが理想的だ。

未来を具体化するには、考え、計画し、現実に対処していくことを必要とする。そのためには、次の「戦略に関する基本的な質問」を検討することがカギになる。

・目標は何か？
・可能なことは何か？
・目標達成のために何ができるか？
・新たな機会に反応し、計画を修正すべきタイミングはいつか？

目標は何か？

この問いは、「会社にとって望ましいもの」を明確にする。多くの組織には全社的な目標がある。入念かつ具体的に策定され、全社員の合意を得ている目標もあれば、漠然とした目標もある。

組織がその目標を達成するために、どこに向かい、何を行うべきかについては、さまざまな選択肢がある。それらのなかには、矛盾し、相反するものも少なくない。目標の確認は、戦略的な思考をするうえで、きわめて重要である。

可能なことは何か？

現実的に何ができるかを考える。チャンスは、組織がすでに持つ（あるいは獲得できる）資源を考慮しながら検討すべきだ。チャンスを前にすると、過去以上のことができるという感覚が生じやすい。他社の実績やテクノロジーの動向、消費者の需要に鑑《かんが》みたうえで、次にどのような手が打てるかを熟考することが必要だ。

目標達成のために何ができるか？

組織の目標達成に必要な戦略上の一手を考える。リーダーシップや組織体制、プロセス、プロジェクト、タスク、役割、製品、サービスなどが関連する。これらを連動させ、相乗効果を生み出すことも大切だ。

新たな機会に反応し、計画を修正すべきタイミングはいつか？

未来は完全には予測できない。だから私たちは、次に何が起きるのかがわからない状態で計画し、決定を下さなければならない。戦略を実行するなかで、その達成の障害となる大小さまざまな出来事が生じる。当初は想定していなかった、大きく、より良いチャンスも到来するだろう。

［背景］戦略は、競争と変化の多い市場でこそ効果的

未来を形づくることは、状況に深く関わっている。人間の願望や行動を、戦略でコントロールすることはできない。しかし、人間がつくりだす現実を理解し、価値を生み出し、

メリットを得るための戦略はつくれる。そのためにも、戦略策定においては状況の理解が必要になる。

競争の少ない、安定した市場にいる場合もあるだろう。だが、おそらく多くの組織にとって戦略が目指す場所は、競争と変化の激しい市場であるはずだ。この本でも、その前提を踏まえ、そのような状況で効果的な戦略を策定するためのアドバイスを提供する。

各項目では、未来を形にするための戦略をつくるうえで問うべき質問に答えていく。「戦略を策定する」「戦略的に思考する」「戦略で勝利する」「戦略を機能させる」「戦略的な組織を構築する」「戦略上の問題を解決する」などの方法を、それぞれの項目で見ていくことにする。

[課題] 計画の実行と、変化に応じた対応を同時に行う

組織の多くは、「将来を見据えて壮大な計画を立てる」という従来のアプローチに従っている。大企業の多くは、膨大な財務分析を行い、それをもとにして戦略文書を作成する「戦略計画チーム」を持つ。

この計画は、トップダウンで組織に伝えられる。だが、たいていは中間管理職まで届くと、そこで止まってしまう。最前線で働く社員にこそ、戦略計画に合わせた体制、プロセス、役割が必要なはずだ。だが、この「壮大な計画をトップダウンで伝える」という旧式

のやり方では、肝心の社員に計画が伝わりにくい。

一方、現実は予測不可能な出来事に満ちているので、計画を立てても無意味だと考える人もいる。彼らは、「組織をできる限り効率的なものにすべき」と主張する。そうすれば、市場の力（需要と供給）に合わせて、自ずと適応できるようになるというのだ。

このダーウィンの進化論的なアプローチには問題点がある。なりゆきまかせの方法では、企業が市場に適応するために本当に必要なことに取り組むようになるのは難しいのだ。

優れた戦略とは、これらの中間を行くものだ。未来を具体化するために明確な意図を持った行動を計画しつつ、同時に目の前の現実にも対応していく。この方法によって、戦略は「実験を通して改善する」という、学びのプロセスになる。

［成功の基準］管理職と部下が、ともに変化へ取り組む

進歩は、組織が教訓を学び、新たな機会に適用できるような戦略に向かって動いているときに成し遂げられる。つまり、あらゆる状況に当てはまる万能薬のような戦略ではなく、賢明な戦略的思考から、私たちはメリットを得る。管理職が前線で起きていることに目を向ければ、部下も同じように現実を変えるための取り組みを始めるだろう。

戦略で未来を形づくるためには、原則と手段が必要になる。環境の変化、顧客のニーズ、競合企業の行動にも対応しなければならない。ビジネスの性質（目的、スタイル、製品）、

内部の資源、プロセス、人をまとめていく方法の検討も求められる。

チェックリスト

□本項で紹介した「戦略に関する基本的な質問」を理解（適用）している。
□本書で紹介する、計画の策定、対処、適応、実現の細かな違いを活用している。
□社内外のさまざまな側面を考慮している。
□共通の目的を達成するための、戦略的組織の構築の必要性を受け入れている。
□戦略に関する、柔軟で継続的なアプローチを構築している。

［落とし穴］戦略は常に改良が必要

多くの戦略を策定すれば、それで戦略的な思考をしなくてよくなるわけではない（悪い結果を回避できるわけでもない）。機会を見つけ、新たなパターンを見いだし、業務を改善していくことが必要だ。新たな戦略が、単なる標語の置き換えにならないようにしなければならない。戦略的思考の目的は、結果を改善することだ。

まとめ

◎内向きの計画は十分ではない。外部環境の変化と競争の激しさを考慮しなければならない。
◎「ストラテジー・クエスチョン」（270ページ）にも答えよう。あらゆる規模の企業向けの、創造的な戦略の策定に役立つテンプレートになる。
◎学習的なアプローチの重要性を理解し、できる限り多くの人が戦略に積極的に関与し、組織の目標を支援できるようにしよう。正式な戦略導入のために、リーダーチームに価値ある情報をフィードバックする。

［こんなアイデアも］戦略は「経験則」と「創造性」の混合物

ハワード・トーマスとタイエブ・ハフシは、戦略とは何か、それが重要かどうかを見定める効果的な方法を、学術的な視点から述べている。彼らによれば、戦略とは経験則と創造的手法の混合物だ。それは、人が現実を理解し、変化させるのに役立つ必要がある。

つまり、戦略ツールは、現実に沿ったものである場合にのみ、価値がある。ツールのなかには、特殊な意思決定をする場合にのみ有用なものもある。最も強力なツールは、未来を形づくっていくプロセスを進む航海に役に立つ。この機能がなければ、戦略には意味がない。

戦略

2 計画する前に考える

戦略とは、〝競合企業よりも深く考えること〟だ。まずはビジョンを描き、次に計画を策定する。だからこそ、計画する「前」に考えることが大切なのだ。考えることの優先度を高く設定しよう。考えることに時間をかけない戦略家は、単なる立案者にすぎない。

[使用すべきタイミング／頻度]
計画する前後。
また、計画中も常に。

[主な対象者]
まず自分で考え、次に全員で。

[重要度]
★★★★★

マーク・ザッカーバーグはハーバード大に在籍中、週末を利用してフェイスマッシュと呼ばれるウェブサイトを大学の許可なく開発した。それは男子学生または女子学生2人の写真を表示し、「どちらがホットか」をサイト訪問者の投票によって決めるものだった。このアイデアは他のサイトのもののコピーだったうえ、大学の指示ですぐに閉鎖された。だが、ザッカーバーグは寮の部屋で開発を続け、改良したサイトをフェイスブックと名付けて公開した。ザッカーバーグの頭にあったのはアイデア（どのようなサイトが学生にうけるか）で、計画はその後にくるものだった。

今日でも、フェイスブックは「Done is better than Perfect（完璧を目指すよりも、まずやってみよう）」という標語を掲げている。戦略的思考が最も効果を発揮するのは、計画の前によく考え抜いたときだ。

［目標］具体案を考える前に、頭を柔軟にする

計画の作成は地道な作業であり、あまり創造性を刺激されるものではない。計画とは、「すでに決めたことを、いかに実現するか」だからだ。

計画とは、物事をまとめあげ、整理する具体的な行為だ。タスクを書き出し、プロジェクトチームを発足させ、複雑なプロジェクトチャートとチェックリストをつくる。

しかし、考える「前」に計画を立て始めてしまうと、問題に対して不適切な解決策を設

定することになりかねない。あるいは、間違った問題に対する正しい解決策を設定することになる。もしくは、重要な問題に対する、最も想像力の乏しい解決策しか導けない。

このため、最大のチャンスをつかめるかもしれない場面で、創造的な方法を検討しないという失敗をしてしまう。大切なのは計画を作成し始める前に、想像力を持って、オープン、かつ情熱的に考えること。それが戦略の本質であり、戦略的に考えるということだ。

計画の具体的な作成に取りかかる前に、思考をできる限り柔軟にしておくべきだ。これを習慣化することで、「明白な何かを計画する」ことと同じくらい容易に、「驚くべき何かを計画する」ことができるようになると気づくだろう。

［背景］考え抜くことが、「ゴール」への最短距離

戦略とは、目的地と現在地を最短距離で結ぶためのものだ。競合企業よりもよく考えることであり、考え抜くことで競合企業がまだ理解していないチャンスを見つけることだ。

何事であれ、より良い方法はどこかに存在するものだ。現在地と目的地を結ぶ、より良いルート（急成長している新市場、新たな手法、顧客、アイデア）はどこかにあり、発見されるのを待っている。これらは、「考える余地」をつくることで、初めて見つけられるのだ。

この本では全体を通じて、考えるべき質問を提供していく。それらは個人、またはグル

ープで行う思考実験だ。すべての案を実際に試す必要はない。頭のなかでシミュレーションすればよい。何が可能かを幅広く探求しよう。がむしゃらに行動するのではなく、より良く考えてから行動に移す。それが、戦略的思考の価値だ。現在、実践していることと、かつて実践可能だったことを比較し、自問することが大切だ。

［課題］考えるための「時間」との闘い

計画を立てる前に考えようとしない理由はいくつもある。なかでも最大の理由は、時間が足りないことだ。多くの人は、計画し、整理し、実行し、問題に対処することに追われ、考える時間がないと言う。考える時間をたっぷりと持つことは、願えども叶わない贅沢《ぜいたく》なものだと考えられている。

逆に、考えることが不要だと感じている人もいる。行動重視型の人は、自分の行動を明白なものだととらえる傾向がある。彼らにとって重要なのは、どれだけ効率的に仕事を整理し、どれだけ効果的にそれを実行できるかだ。

また、融通の利かない官僚主義的な環境に身を置いていると、考える意欲がそがれる。苦痛で退屈でしかない打ち合わせや会議、組織階層に縛られた運営委員会などのせいで、行動重視型の人は戦略を魅力的ではないと思ってしまう。

成功する組織は、思考、計画、実行の健全なバランスを保とうとする。彼らは経験から学ぶために、あるいは現在の計画が意図した結果を導いていることを確認するために、時間を費やす。具体的な計画がなくても、自由にアイデアをふくらませるための時間をとっている。次の質問の答えを考えてみよう。

・戦略を考える時間をどれくらいとっているか？
・計画を策定する前に、いくつの選択肢を検討したか？
・計画の根底にある考えの適切さを問う方法はどのようなものか？
・傾向や可能性、新たな手法、アイデアや希望などを探る時間はどれくらいか？

［成功の基準］全員が定期的に計画をチェックする時間を持つ

計画を立てる前に考える時間を十分にとるようにすれば、良い結果を得られるようになることがわかるはずだ。考えるための時間を、組織と個人のスケジュールに組み込もう。膨大な時間は必要ない。大切なのはバランスだ。１年間に２日ほど、じっくりと考えるための時間を設けるだけでも、十分な効果が期待できる。

戦略を考えることは、それを好きな人のためだけのものではない。戦略の成功は、どれだけ多くの人が計画前に思考プロセスに関わり、次のような質問を検討したかによって測ることができる。

・組織やチーム全体が、戦略の思考プロセスに積極的に関わっているか？
・複数の部門や部署が思考プロセスに関わっているか？
・組織外の人々（および顧客）が思考プロセスに関わっているか？

計画の結果と有効性を厳しく検証していくことは、組織にとって受け入れられる（あるいは必要な）プロセスになるだろう。社員は、定期的に計画の正当性を再検討する責任を感じるようになる。意図していたものと結果を比較することで、経験から学べるようになる。成功と失敗の両方から、多くを学ぶようにもなるはずだ。

チェックリスト

□企業の現状をつくりあげた、核となる考えを理解している。
□戦略と計画の策定プロセスに、思考するプロセスが組み込まれている。
□計画と行動の前に、いくつもの実験的な思考を行っている。
□戦略で成功するために、よく考えることの価値を認識している。
□企業は、自らの考えと行動を客観的に判断する方法を持っている。

□十分な時間をかけて、問題（およびチャンス）に取り組んでいる。

［落とし穴］「考える＝急がなくていい」ではない

「計画を立てる前にじっくりと考えるように」と指示することが、問題を生じさせる場合もある。緊急度が低いと見なされ、急ぐ必要がないと受け止める人もいる。また、行動重視型の人が、考える時間を無駄だとして、考えることに対して反発する場合もある。

これらの問題を避けるためにも、「計画の前に考える」ことのメリットを明確にし、「思考すること」を具体的なプロセスとして、戦略のある段階に組み込むことが重要だ。

まとめ

◎最善の戦略とは、現在地から目的地に行くための新たな可能性を探るために、よく考えること。具体的な計画策定は、その後だ。
◎戦略改善は情報や知識の面だけでなく、考え方自体を改善することでもある。
◎スケジュールに「考えるための時間」を組み込む。チームや部門、組織も同じく、新たな計画策定の前には、特に重要。

◎計画（選択肢）は複数、検討しよう。想像力を働かせていくつかの案を検討し、それぞれどのようなメリットがあるかを考える。
◎外部の人間にアイデアをチェックしてもらおう。疑問があれば率直に意見を述べてもらうこと。計画を開始してからも考えや前提条件は数カ月ごとに見直すように。

［こんなアイデアも］計画の効果の確認を繰り返す

ここでは、ハーバード・ビジネス・スクールのクリス・アージリスの考えが有用だ。アージリスは、戦略計画は、循環する学習プロセスだと考えた。実行した後で、何が機能し、何が機能しなかったかを確かめるというプロセスを繰り返す。戦略的思考では、この学習の輪を二重にできる。行動を起こす前に結果をしっかりと予測し、変更できる点がないかを検討することで、学習の輪がもう1つ増えるからだ（320ページ）。

戦略 3 戦略的思考を身につける

戦略的思考を身につけることは、可能性を開くことだ。それは、全体を見ることであり、ビジネスを構成するさまざまな要素を分解し、理解し、より強固な形で再統合することでもある。
洞察や創意工夫、感情、想像力などを駆使して、現実をつくり替えていう。

［使用すべきタイミング／頻度］
すべての問題と機会。

［主な対象者］
自分。

［重要度］
★★★★★

サイモン・コーウェルは、イギリスのテレビ番組『ポップ・アイドル』の審査員になったとき、音楽業界でそこそこの成功を収めたエグゼクティブにすぎなかった。彼は審査員としても良い仕事をしていたが、新たな成功の可能性も探し続けていた。そして、有名人として番組の審査員を務めることよりも、はるかに大きなチャンスがあることに気づいた。コーウェルは意欲的かつ創造的に行動を起こしていった。イギリスでオーディション番組の『Xファクター』を制作、次にアメリカで制作した『アメリカン・アイドル』は大ヒット番組となった。番組の信頼性を高めるためにゲストに有名人を招き、米国大統領を特別ゲストにしたチャリティイベントも開催。彼は戦略的思考によって、オーディション番組の審査員から、年商10億ドルのビジネスを手がける成功者に上り詰めた。

[目標] さまざまな角度から「なぜ?」と問える

戦略ツールがなくても、戦略的思考はできる。しかし戦略的思考がなければ、優れた戦略はつくれない。戦略をつくることと、戦略に関する文書をつくることには大きな違いがある。マネジメント的思考と戦略的な思考にも大きな違いがある。

リーダーは頻繁に、戦略的思考が必要だと言う。物事に対処する準備を整えるために、戦略的思考が役立つと考える。少ない労力で多くの成果をあげるために、戦略的思考が重要だと考えるのだ。自分の周りに、広い視野を持つ人物を置きたいと考え、複雑な問題に対する賢い解決策を求める。いま以上の、他社を上回る何かを求める。

戦略的思考の持ち主は、既存や新規の問題を新鮮な視点で見て、異なる角度から質問をする。人が見逃しているもの（一見すると重要に思えない些細《ささい》な点や、広い視点で見ることで初めて浮かび上がる長期的な傾向など）を見つける。創造的で、状況に応じた質問をすることで価値を生み出す。本書は、戦略上の問いを立てるうえで役立つさまざまな質問を紹介する。特に重要なのは「なぜ、そうなのか？」「なぜ、そうではないのか？」だ。

・なぜ、計画が成功または失敗すると考えるのか？
・なぜ、まったく別の方法を採用しないのか？
・なぜ、現状に満足（あるいは不満足）を感じているのか？
・なぜ、現状の方法が採用されているのか？
・なぜ、規則を変えないのか？

本質を十分に議論しないまま、具体的な詳細を決めてしまうのではなく、まずは柔軟な発想で、さまざまな疑問に対する答えを導くべきだ。戦略的思考の持ち主は、さまざまな視点で柔軟に考えることができる（多くの可能性を検討できる）。そして、望ましい方法で未来を具体化するための、明確で魅力的なビジョンを生み出せる。

[背景] 異分野のアイデアを結びつけるのが、戦略的思考力

組織には、さまざまな制約によって身動きがとれなくなっている人が大勢いる。与えられた役割や責任、既定の仕事の進め方に縛られ、視野が狭くなっている人や上司からの要求に応えたり、業績目標を達成するために目先の成果に意識が向きがちな人などだ。

しかし、こうした制約にとらわれず、広い視野を持ち、異なる視点で物事を見ることができる人材もいる。次に生じることの現実的な部分に注目し、新たな方向に進むために、事実と数字を的確に理解する。社員(より大きなチーム)に生じる影響を考慮できる者もいれば、現実的・実用的な点をいったん脇に置いて、斬新な発想ができる者もいる。

戦略的思考の持ち主は、これらすべてを考慮したうえで、頭のなかで体操選手並みの離れ業をこなす能力がある。色々な専門領域のアイデアを結びつけ、そこで生じる矛盾や対立から、新たなチャンスを見つけ出す。物事を上手く組み合わせる能力があるのだ。

[課題] 戦略的思考を組織全体に広げるプロセスづくり

状況が安定し、現状維持でも着実な成長が見込まれているときには、大胆な戦略的思考が過小評価される場合がある。戦略的思考の持ち主は正当な扱いを受けられず、考えるこ

とを止めたり、転職したりする。状況が不安定になり、現状維持では成長が難しくなったとき、組織は慌てて戦略的思考を求めるが、重要なポジションにそのような能力を持つ人材が不足していることに気づくこともある。また、戦略的思考を日常的に行ってこなかったために、それを習慣化するために多くを学ばなければならなくなる。

戦略的思考を組織に浸透させる公式のプロセスがないという問題もある。このプロセスでは、創造力や徹底して考える力、さまざまな考えをまとめる能力などが求められる。プロセスが制度化されにくい理由の1つは、それが容易ではないということだ。そこでは聡明さや直感が求められる。紋切り型の考えにとらわれない戦略的思考を磨くには、退屈で無感動な、数字やチェックボックスばかりの従来型トレーニングでは不十分だ。

ただし、幸い多くの人は、創造的でありたいと考え、未来を変える方法を知りたいと望んでいる。戦略的思考を促すものは数多くある。まずは人々の好き嫌いや、夢中にさせたり失望させたりするものに目を向けよう。戦略的思考は、まとまりのない感情や願望、労力に、方向性と目標を与えることができる。

［成功の基準］ありきたりな発想に満足しなくなる

戦略的思考がうまく働いていれば、状況に対して、自由な発想で問いかけができるようになる。バラバラになっているものを組み合わせ、相乗効果を生み出そうと考える。楽しく、創造的な気持ちで、さまざまなコンビネーションを試してみようとするはずだ。思考のプロセスに、多種多様なインプットを求めるようにもなるだろう。

・業界や分野の仕組みはどのようなものか？
・自分の組織にとっての成功とは何か？
・現状の10倍の成果をあげなくてはならないとしたら、何が必要になるか？
・現時点の最大の問題とその原因は何か？
・制約がまったくないとしたら、何ができるか？
・制約のなかに、実は思い込みで制約だと見なしているものはないか？
・年配者、若者、裕福な人、お金がない人は、何をしているか？

リーダーであるあなたは、周囲にただ同調することに抵抗を覚えるようになるだろう。よくある「右にならえ」的発想からの計画では満足できず、戦略的な「次の一手」を求め、意欲的で大胆な人材や仕事に投資するようになる。組織が縮小していくのを、指をくわえて見ているのではなく、成長を目指そうとすることはそれほど難しくない。

チェックリスト

□広い視野で、現状の先にある新たな可能性を探っている。
□状況を、いったん細かな要素に分解して考える。
□個々の要素をさまざまな角度から検討し、それらを再び組み合わせている。
□最も重要な戦略ツールと原則を知っている。
□目先のことにとらわれず、ビジョンと目標を創造している。
□周りの人から、戦略的思考の持ち主だと認められている。

［落とし穴］　戦略的思考を急に披露するのはＮＧ

役割を問わず、あなたは戦略的思考の持ち主として自らの能力を組織内で売り込む必要がある。能力を周囲から認められ、理解されることが重要だ。しかし、それを言葉で伝えようとしても、周りから反発されやすい。まず仕事のなかで戦略的思考を実践してスキルを磨き、評価を高めよう。その後、経験から学んだ戦略的思考を周囲と共有しよう。

まとめ

◎効果的な戦略的思考のために、質問を活用すること。「なぜ、そうなのか？」

「なぜ、そうではないのか?」という疑問から始め、この本で紹介する色々な質問や、自分で考案した創造的な質問を使い、現状からチャンスを見いだす。
◎計画と戦略的思考の違い（「戦略2」を参照）を認識し、現実的な考えと直感を上手く組み合わせる。
◎問題を分解し、組み立て直すことで理解を深める。質問を活用して戦略的に思考し、新たな可能性を探ろう。
◎本書で紹介する多くのツールや原則に習熟する。これらは戦略的思考を支援する、独創的で大胆かつ柔軟な思考に役立つよう厳選されたものだ。

［こんなアイデアも］競合企業に目を向けすぎない

大前研一は、古典的名著『企業参謀』（講談社文庫）のなかで、企業は他社に勝つ（あるいは模倣する）ことに意識を向けすぎていると主張している。戦略的思考による柔軟な発想によって、顧客のニーズと組織の強みに注目し、利益を生み出す意欲的で新たな方法を探ることができる。

戦略 4 戦略を伝える

企業戦略は、関係者全員が真剣に取り組まなければ価値がない。立案者は、幹部にアイデアを説明して支持を得て、社内のさまざまな階層に戦略を伝達し、積極的に関わってもらう必要がある。戦略をどう伝えるかは、戦略プロセスのなかでも軽視されがちな部分だ。

だが、あなたは、この戦略が未来を具体化するための信頼できる価値ある方法だということを、周りに確信させなければならないのだ。

［使用すべきタイミング／頻度］
戦略の開始時。
以降定期的。

［主な対象者］
まず幹部、次に全社員。

［重要度］
★★★★

マイクロソフトは、数十億ドルを投じてゲーム機市場に参入した。そのきっかけとなったのは、数名のグループが取締役会の説得に成功したことだった。ライバルのソニーを脅威に感じていた取締役会は、提案に耳を傾けた。この提案には、競合企業に対抗するための最善策だと思わせる説得力があった。また彼らは、取締役会から信頼されるだけの創造性と、新たな課題に取り組む力があるとも見なされていた。

[目標] 周囲の支持から幹部を説得

戦略が採用されるためには、幹部からの支持が必要だ。ただし、いきなり幹部を説得する必要はない。そもそも、社内である程度の評価を得ていなければ、幹部に直接、提案をするチャンスを得るのは簡単ではない。

そこでまず、周囲を少しずつ巻き込みながら支持を得ていこう。組織を目指す方向に動かすために、日頃の会話から戦略のアイデアについて触れていくとよい。こうしたアプローチは、あなたが組織の将来を形づくるための取り組みに関わり、戦略的な思考を持つ人材として認められるためにも役立つ。戦略は、売り込まなければならないのだ。

戦略を実現するために、必ずしも多額の資金が要るわけではないが、戦略を支持する多くの人が必要になるのは間違いない。いずれかの時点で幹部の承認が必要になるし、社内外のさまざまな人々からの支持も要る。戦略は、行動が伴わなければ成り立たない。

［背景］戦略の売り込み方を知る必要がある

まず、戦略を機能させるために何が必要かを考えよう。現在地を認識し、目的地に到達するために何が必要かを踏まえ、戦略の作り方を確認する。本書で紹介するツールと技法を用いて機会を最大に活用できる戦略を組み立て、さまざまな脅威への対処に備える。

次に、企業がこの戦略を検討すべき理由について熟考しよう。特に、幹部が解決を望んでいる問題は何かを考える。幹部が不安を感じているものは何か。社内でよく話題になっているテーマは何か。この戦略はどのような問題を解決するのか。戦略は幹部の懸案事項を解決するのか。幹部はどのような戦略なら採用する準備ができているのか。

自分のコントロールできる範囲の外側からの支持が必要なら、戦略をいかに売り込むかを本格的に検討しなければならない。組織に役立つはずの優れたアイデアがあっても、それをうまく説明できなければ実現できない。アイデアを売り込むスキルを磨くか、それが得意な人の協力が必要だ。

・組織の正式の戦略計画プロセスは何か？
・戦略的アイデアへの出資と支持は、通常どのようなプロセスで実現しているか？
・水面下での意思決定プロセスはどのように行われているか？

・戦略の実行において影響力を持つ社内の人物は誰か？
・戦略のアイデアを売り込む最適なタイミングはいつか？

これらへの答えは組織によって異なる。戦略的思考の持ち主として周囲の信頼を勝ち取るには、状況ごとの売り込み方を学ぶべきだ。影響力を得るためには、公式、非公式のアプローチが必要になる。支持を得るには、情熱や理屈、創造性、資金計画なども要る。

［課題］立場、アイデアによっても売り込み方が大きく変わる

戦略は、売り込む人間の組織での立場によっても、アプローチが変わる。立場が違えば、公式なアプローチが必要になる度合いや、プロセスも異なる。組織のトップにいるのか、中間層にいるのか、下の階層にいるのかによって、アイデアを周囲に伝達する方法も変わってくる。

戦略的思考の、どの部分に焦点を合わせるかによっても、選択が変わる。まず自分の仕事とチームに役立つ方法で戦略を実践し始めるのは効果的だ。必要な技能を身につけたり、ツールの活用方法を学んだりしやすくなる。

社内へ影響の大きい多額の投資を求める前に、信頼をつくることもできる。

戦略には社員全員の支持と、積極的な関与が必要だと考える幹部もいる。まずは小さな

形で戦略を実践し、その結果を見ながら、全社で取り組むべきアイデアかどうかを確かめよう。これまでに、幹部以下の人間で、企業の方向性に影響を与えることに成功した提案者はいないかを確認しよう。

「悠長なことはしていられない。このアイデアは早急に実行しなければならない」と感じることもあるだろう。そのような場合はたいてい、戦略について情熱的になりすぎるあまり、「0か100か」のアプローチを取ろうとしている。社内でこのアイデアが認められなければ、会社を辞めてでもそれを実現したいと考えることもあるだろう。企業が直面している状況が非常に切迫していると感じているので、何としても今すぐ実行しなければならないという思いに駆られることもあるだろう。

その結果、逆に素晴らしいアイデアを提案する最適なチャンスを逃してしまうこともある。適切なチャンスをつかむことは、現実ではとても重要だ。早まった行動をとる前に、もう少しだけよく考えてみよう。

［成功の基準］上司から戦略について相談される

戦略的思考が求められるときに、上司から相談されるようになったら、戦略を提案し、売り込む能力が高まっていることの合図だととらえてもいいだろう。実際に、組織での戦略を具体的に取り組むことで、その能力はさらに高まっていく。周囲に影響を与えられる能力は、社内外のさまざまな人たちを、将来の目標達成に向けて巻き込む際に役立つ。
戦略のアイデアでは、いくつかの選択肢を用意し、相手がそのなかから選べるようにすべきだ。アイデアは、わかりやすく伝えなければならないが、同時に、相手が関わりを持ちやすいように、柔軟なものでもあるべきだ。ストーリーを用いて相手の感情に訴えたり、具体的な数字を使って信頼性を高めることも効果的だ。

チェックリスト

□社内での戦略のつくられ方、実行のされ方を理解している。
□売り込みの能力と、周囲に影響を与える能力を積極的に高めている。
□現在・将来の企業の戦略について、自らの見解を持っている。
□他者から、戦略についての意見や協力を求められることが多い。

［落とし穴］何事にも反発する人がいることを忘れない

誰かに一方的に指図されることを好む人はいない。他人を巻き込もうとするときは、この点を十分に配慮すべきだ。「自分は何でも知っている」という態度も反感を買う。相手の意見に耳を傾けよう。

また、水面下には「隠れたゲーム」があることにも注意しよう。表向きには、物事を前に進ませるための行動がとられていても、その背後には、新しいものに抵抗しようとする力も働いているものだ。新たな戦略によって変革がもたらされるのを恐れ、現状を維持しようという人がいることも忘れてはいけない。

まとめ

◎多くの人に話を聞き、会社で通常、戦略がどのように採用・実践されるのか（公式か非公式か、トップダウンかボトムアップか）を理解しよう。
◎可能であれば、既存の戦略文書を読み、年次報告書なども分析してみよう。
◎本書で紹介するツールを使って、組織の戦略上のポジションを理解しよう。
◎会社の大きな方向性や将来に関する仕事には、積極的に関わろう。
◎戦略的な会話に参加し、自分を売り込もう。効果的に貢献することで、戦略的思考の持ち主としての信頼性は高まっていく。
◎影響力を高め、アイデアを売り込む力をつける。関連書籍で勉強しよう。
◎社内で、企業の未来を形づくることに興味を持つ人間の集まりをつくろう。

［こんなアイデアも］雑談でも戦略を売り込む

戦略のアイデアを売り込み、社内に影響を与えるための実践的な方法は、ほとんどの本で軽視されている。だが例外もある。たとえば、ゲイリー・ハメルの『リーディング・ザ・レボリューション』（日本経済新聞社）だ。

ロバート・チャルディーニの『影響力の武器　第二版』（誠信書房）、チップ・ハースとダン・ハースの兄弟による共著『アイデアのちから』（日経BP社）もお勧めだ。ポイントは、戦略を会話のなかで積極的に売り込まなければ、組織全体を動かすための支援を得られないという点だ。

第2部

戦略家として考える

戦略家として考えることは、望ましい状況を実現する可能性を探ることだ。周りで起きていることを認識し、過去の傾向を見極め、数手先を読みながら多次元のチェスをプレーする。

現実世界の出来事は、さまざまな原因で生じる。これらの出来事と原因はさまざまな形で複雑に絡み合っているために、世界は複雑で混沌《こんとん》としたものに思える。不確定要素が多すぎて、計画をつくったり、将来に何かを達成しようとすることには意味がないと考える人もいる。

優れた戦略家は、世界が複雑であるということを認めたうえで、未来を具体化するために今何をすべきかがわかっている。すべての答えを知っているという態度はとらない（そう振る舞うことが戦略的に役立つものでない限り）。現実からパターンを見つけだし、創造的な方法で、未来のための行動をつくりだす。

この創造的なプロセスでは、直感が大きな役割を果たしている。戦略家は半ば無意識的に、生得《しょうとく》的な能力を活用しながら、パターンを見つけ、解釈する。それでも、この能力は訓練によって高められる。〝気づき〟を得る力は、磨くことができるのだ。新たなチャンスを導く洞察力は鍛えられる。チームとしてアイデアを出し、それを実現する能力も、大きく向上できる。

この本では、全体を通じて、戦略家として振る舞う方法を学んでいく。第2部の各項では、戦略的思考のいくつかの側面に焦点を当てていく。「反応すること」が、学ぶことと同じくらい重要である理由、不確定要素を乗り越えてリスクを取る価値についての洞察、周囲を観察し、チャンスを見つけだす方法について学んでいこう。

巻末の戦略ツールキットは、戦略的に考えるうえで大いに役立つ。戦略的思考の技能が高まるにつれて、各ツールを創造的に使いこなせるようになっていく。最もよく知られているツール、たとえばＳＷＯＴ分析（２７４ページ）でさえ、組織が新たな価値を提供するための洞察を得る道具になる。

ポーターのファイブフォース分析（２７６ページ）を使って、会社のために何を意味するかについて考えてみよう。バーゲルマンの戦略ダイナミクスモデル（２８０ページ）を用いて、市場と会社が、ルールを維持・変更する連続体にどう当てはまるかを調べよう。ステイシーの複雑性がもたらす戦略（３２８ページ）を使って、会社が無秩序なほうへ向かっていないか、現状維持に甘んじていないかを確認しよう。

ミンツバーグの意図的戦略と創発的戦略（３２２ページ）の違いも参照しよう。優れた戦略家は、戦略とは計画以上のものであることを知っている。全体像を認識し、未来を形にするための行動を開始しよう。戦略家として考えることを始めよう。それは、あなたに大きな力をもたらす。

戦略

5 リアクションは、計画と同じくらい重要

良い戦略は、起こった出来事に頻繁に反応するものだ。将来何が起きるかは、完全にはわからない。計画は予測に基づいて策定するしかない。だから、計画には限界がある。

賢い戦略家は、トラブルに反応することで、戦略の実現を導く。良い反応こそが、優れた戦略をつくるのだ。

[使用すべきタイミング／頻度]

すべての問題、すべての機会。

[主な対象者]

まず自分、次に全員。

[重要度]

★★★★★★

若き日のイングヴァル・カンプラードは、試験での高得点のご褒美として父親から予期せず手にした現金を元手に、イケアの前身となるビジネスをスタートさせた。カンプラードは家具メーカーの近くに住んでいたので、家具の販売を始めた。ライバルの圧力によって商品の仕入れができなくなると、次は自社ブランドの生産を開始。客がテーブルを車に積んで持ち帰れなかったことを機に、「フラットパック」というコンパクトな梱包方式を編み出した。ショールームが火災で焼けてしまった際には、巨大なショールームを再建し、顧客が増えてサービスが追いつかなくなると、セルフサービス方式を採用した。イケアの戦略は常に、予想外の大きなトラブルに柔軟に反応することだった。

[目標] 既存の戦略以上の可能性を探る

計画外のチャンスは常に探すべきだ。なぜなら優れた戦略をつくる最善のチャンスかもしれないからだ。さまざまな事実が、「成功した企業家やリーダーは、チャンスを見つけることに貪欲《どんよく》だ」という考えを支持している。そして、最も望ましいチャンスは、計画外の出来事に対するリアクションから生じる。次のような視点を持つことを習慣化しよう。

- 問題が生じたことで、以前よりも良い方法で、すべてを刷新することはできないか?
- これまで不可能だと見なしていたもののなかで、実現可能なものはないか?

・既存の計画は古びていないか？　現状に対応することで、これまで以上の効果をあげることはできないか？

誰でも計画は立てられる。だが、計画の真の価値は出来事に反応することで、既存の計画の可能性を広げようとするときに生まれる。ときには、古い計画では不可能だったものを実現するために、まったく新たな計画をつくることも必要だ。計画が適切に実行されているかどうかを確認するために、日々、生じていることを絶えず観察しよう。目標達成のための新たなチャンスや、以前は不可能であった新たな目標を探ることが大切だ。

［背景］ただ計画に従うだけでは、間違った方向に進むことも

ほとんどの企業には、年次ベースの計画サイクルがある。何を達成したいのかについて（通常は不十分な時間のなかで）考え、目標や優先事項、タスクの一覧を文書化する。文書が印刷されると、それは完全なものだと見なされる。

その計画にきっちりと従う人たちは、計画は完璧なものだという前提に従って行動する。計画は、絶えず参照すべき原則のようなものだと見なされる。また、計画を実現するためには、社内のさまざまな階層での取り組みが必要になる。幹部や上級管理職、スペシャリスト、現場の人間が、計画のマスタープランを独自に解釈し、それぞれの立場で実行する。

このようにして、計画文書を社内全体に浸透させることが、ほぼ1年がかりになってしまうケースもある。このため、次の質問を考えることが有益だ。

・計画での前提が間違っていたとしたら、何が起きるか？
・従業員が計画の前提に異を唱える方法はあるか？
・計画を実現する段階で、内容が古びてしまう恐れはないか？

一方、計画を無視する人もいる。彼らは計画書を読まないし、計画が自分の日々の仕事に関係があるとも考えない。出来事には反応するが、その方法は場当たり的で、根本的な変革にはつながらない。彼らは計画の限界を理解している。計画は現実と矛盾し、具体性を欠いていると考えるのだ。だが彼らは、出来事への反応をあらかじめ計画に含めることがもたらすパワーをも見落としている。

起こった事態に対応せず、ただ計画に従っていると、会社は間違った方向に進みやすくなる。適切な計画も、生じた事態によって間違ったものになり得る。計画に従わなければ、全体の調和や連携が損なわれやすくなり、上手く機能している計画をストップさせることにもつながってしまう。

［課題］「計画の限界」について話し合う

出来事に反応することの価値をなかなか認めない人もいる。管理職は、物事を整然と進めていくこと（あるいはそのように見せること）が大切だという教えに従っている。彼らは、ビジネスの世界では先を見越して計画を立て、それに沿って行動することが大切だと叩き込まれてきた。起きた事態に、後から対応することは良くないと教わってきたのだ。計画を立てることは良いことだが、すべてを計画通りにできるという考えは間違っている。いつでも計画外のチャンスをとらえられるようにしておくべきだ。

日頃から、リアクションすることのメリットと、計画の限界について話し合っておくことは、健全な経営に役立つ。それは誰にとってもメリットをもたらす。計画の価値を信じる人と、現場の仕事こそがすべてだと信じる人を結びつけることもできる。どちらの考えも一長一短であることを、認識しやすくなるからだ。

計画主義と現実主義の両方の戦略を取り込む正式なプロセスを導入することも、実践的な課題になる。戦略は、年間を通じて調整されることで効果を高める。管理職や従業員がそれぞれ、計画実現のために出来事に反応する方法を探っていく必要がある。そして、変更した目標や計画、命令を再び組み込み、社内全体が戦略の変化を認識し、新たな機会に向けて一丸となって取り組まなければならないのだ。これによって、問題への場当たり的な対処で生じる弊害を減らせる。また、一度立てた計画にひたすら従うだけで結果が自ずと出ると考えるよりも、はるかに大きな成果を期待できるようになる。

［成功の基準］想定外の成果が得られているか

1年を振り返ったときに、当初の計画からズレながらも想定外の成果があがっていれば、上手く事態に反応できている証拠だ。計画へのアプローチは流動的になり、状況の変化に応じて方向性を変える選択肢が、もともと計画に含まれるようになるはずだ。「起こり得る事態とその対処」を想定したシナリオベースで計画を策定するようになる。新たな素晴らしいチャンス（または恐ろしいリスク）を早期に察知し、十分な時間をかけて適切に対応し、新たな目標達成のチャンスに変えられるだろう。

戦略に「火消し」の機能が含まれるようになり、日々の業務のなかで、多くの社員が積極的に状況に対応するようになる。現場にいる中間管理職や社員が、現実世界の出来事や状況に上手くリアクションするために、何が必要かを考え、行動するようになる。

チェックリスト

□計画外のチャンスを見つけ出す方法を持っている。

□出来事への反応を、「戦略に変化をもたらすか」という視点で見直している。
□現場の人間と上司が、問題点やその対応についての情報を共有している。
□戦略が年間を通じて何度も再検討され、修正点がないかが確認されている。
□素早い反応をするための改善が積極的に行われている。

[落とし穴] 俯瞰的な視点を失うと、組織に混乱が……

事態への反応が、逆効果をもたらすこともある。計画外の行動は、戦略に反するものになる場合もあるし、現場の人間が、俯瞰《ふかん》的な視点を欠いたその場しのぎの対応をしてしまうこともあるからだ。それぞれが正しい判断をしていたとしても、全体としては摩擦が生じてしまうこともある。大切なのは、過度の混乱が生じないように注意することだ。全体が同じ方向を向くようにして、現場の発想や取り組みを活かしていかなければならない。

まとめ

◎過去に直面した問題や、思わぬ方向に進んでしまった事態をリストアップし、これらが戦略とその実現方法にどう影響したかを考えよう。
◎問題に反応するための、さまざまな方法を探ろう。問題に対する解決策が、戦略を改善するための新たな機会にならないかを考える。
◎計画の立案時には、シナリオに基づいてさまざまなケースを検討し、将来のターニングポイントを見据えられるようにしよう。
◎上司や同僚を含む、あらゆる社員との対話を促進しよう。特に、最前線で働く社員との対話は重要だ。彼らは機能しているもの、していないものを理解して、起こりつつある問題を察知し、早期に警告を発せられる立場にある。
◎戦略の方向性に含まれる意味を、社員に詳しく説明しよう。これは、各社員の状況への反応を、全社的な目標と結びつける最善策だ。

［こんなアイデアも］戦略にもさまざまなパターンがある

ヘンリー・ミンツバーグは、戦略にはいくつかの種類があると主張している。①意図的戦略——実現すると決めたこと。②実現した戦略——予期した通りに実現した計画。③創発的戦略——日々の取り組みのなかで、組織的に形成されていく、計画外の行動のパターンの3つだ（322ページ）。

戦略 6
リスクをとる（不確実性のギャップを乗り越える）

すべての意思決定は未来に関わるものだ。そして、未来は不確実なものである。だから、すべての決定の結果も不確実になる。

しかし、未来を具体化するためには、何らかの決定をしないわけにはいかない。そのためには、不確実性の度合いがどれくらいなのかを評価することが必要だ。不確実性があることを前提にしたうえで、成功の可能性を最大にするような意思決定をすることが求められる。

［使用すべきタイミング／頻度］
優柔不断な状態で、行動が遅れているとき。

［主な対象者］
自分とチーム。

［重要度］
★★★★

ノキアは、携帯電話の分野で実績の少ないマイクロソフトから新ＣＥＯを迎え入れた。それはリスクの高い決断だった。さらに、新ＣＥＯは携帯電話市場で実績の少ないマイクロソフト社製の新たなソフトウェアに、同社の社運を委《ゆだ》ねた。彼は、断固とした決断で不確実性を減らし、従業員とパートナーの不安を払拭《ふっしょく》した。何もしないことの方が、何かをすることよりリスクが大きいと判断したのだ。彼は戦略を通じて、確実性を高めた。

［目標］想定外の問題も処理できるプロセスをつくる

未来における不確実性は、断固とした決断と行動によってのみ減らすことができる。ただ指をくわえて待つだけでは、不確実性は減らない。それでも、目標と方向性の確実さを高める決断を選択できる。リスクは完全には取り除けないが、予期せぬ問題に対処できる企業文化やそのプロセスをつくる方法は考えられる。次の質問について考えてみよう。

・いまの業界の不確実性のレベルはどれぐらいか？
・ある決定に対し、不確実なものは何が考えられるか？
・決定をすること（または、しないこと）で、どのようなリスクが生じるか？
・事態はどのように悪化しうるか？　その場合、どのような対処をすればよいか？

リスクと不確実性のとらえ方は人によって異なる。管理職は起業家に比べ、賭けに挑もうとしない。両者にとって、勝利で得られるものと敗北で失うものの価値が違うからだ。また、少人数のグループは、個人に比べて大きな賭けをしやすくなる。メリットを共有でき、失敗したときに批判を一人で浴びることもないからだ。ただし、集団が大きくなると、リスクを避けるようになる。習慣化した従来の方法から抜け出せなくなるからだ。

ビジネスの最大の目的は、リスク回避ではなく、リスクをとり、それ以上に高いリターンを得ることだ。このため成長戦略においては、投資的行動をとる起業家型のアプローチが魅力的になる。大きな組織が、小集団のような冒険的精神を取り戻そうとするのもこのためだ。大企業は、動かないことが、動くことよりも高リスクだと知っているのだ。

［背景］メリットとリスクを天秤にかける重要性

組織の外部から生じるリスクもある。しかし、ほとんどのリスクは、組織が計画を実現する能力に関わりがある。リスクは、市場のニーズに適応する際に生じる。競合企業の動きに対応するときや、顧客に訴える製品やサービスを提供するとき、ステークホルダーを満足させるための取り組みをしているときに生じる。

戦略とは、目標の達成を目指すものである。リスクとは、目標とそれを達成するための組織の能力の間にある差だ。つまり、リスクの一部は戦略によって生じる。このため、計画に含まれるさまざまな目標を、会社が実現できるかどうかの判断が重要になる。

・直接的にコントロールできるリスク、できないリスクは何か？
・コントロールできない変化には、どのように対応できるか？
・外部の変化をどのように予測できるか？

戦略家のすべき仕事は、リスクのコストとともに、メリットを見極めることだ。メリットは、コストと同じくらい重要になる。戦略の結果には不確実性が残るが、潜在的なメリットの価値と、それを得るための方法を評価することは可能だ。

次に、目標とそれを実現するために活用できる能力や資源と比較する。能力や資源には、資金や設備も含まれるが、その大部分は、企業が持つ技術、コミットメント、プロセス、文化などだ。特に重要なのは必要なことを実行するための能力と、不確実な結果を伴うリスクのある行動をとろうとする、組織の自発的意思だ。

［課題］リスクの発生源を細かく分析しよう

最初の課題は、リスクのさまざまな発生源に注目することだ。前述したように、リスクは組織の内部から生じるものと、外部から生じるものがある。

組織の外部

・市場は複雑か、単純か？

・「市場のルール」の状態はどうか？　安定しているか、それとも変化が激しいか？

・資源は不足しているか、豊富にあるか？

・市場は成長しているか、縮小しているか？　一般的な景気の状態は？

・市場に影響を及ぼすような外部の出来事はあるか？

組織の内部

・目標はどのくらい意欲的なものか？

・パフォーマンスレベルはどの程度か？

・パフォーマンスと意欲の間にはギャップがあるか？

・幹部同士で同じような考えを持っているか？

・幹部は事業に対して自らリスクをとっているか？

・社内の経営資源で不足しているものはないか？

・組織はどのようなスキルを持っているか？

意欲とパフォーマンスレベルのギャップが大きい場合、戦略の失敗リスクは高まる。幹部の考えがあまりにも似ているなら、それは現状に満足しているサインであり、結果、リスクを避けようと考えるかもしれない。ただ、幹部の類似性は慢心にもつながる場合があるため、逆にリスクをとろうとする自発的意思が高まることも考えられる。つまり、幹部の類似性がどんな結果を招くかは状況次第だ。日頃から不確実性に対するチームの動きの理解に努め、万が一のときに迅速な対応ができるようにし、目標達成に役立てるべきだ。

スキルが十分に高ければ、目標とのギャップを減少できる。スキルを高めれば、パフォーマンスが上がり、それによってリスクを減らすことも可能だ。だが逆に、スキルが高ければ意欲も大きくなり、達成不可能なレベルに目標を定めてしまいやすくもなる。これらすべては、戦略に内在するリスクに影響を及ぼす。リスクの発生源は、意欲と能力の間のギャップにあるのだ。

組織は、さまざまな方法でリスクを分析できる。そのなかに、NPV（正味現在価値のこと。本書では詳述しない）がある。

これはリスクについての主観的判断を数値化し、それに基づいてシミュレーションを行うというものだ。ただし、この方法の基盤は主観的な判断であり、複雑な選択肢がある場合の分析には向いていない。

複雑な選択肢がある場合によく使われるのが「デシジョンツリー」（決定木）だ。代替の選択肢と、事態の変化に応じて、予測されるパフォーマンスと結果を特定する。NPVと同様、この方法は、あまりにも単純で正確性を欠いたり、あまりにも複雑で実用性を欠いたりする場合がある。これらの方法には、「未来はコントロールできる」という誤った考えを信じやすくなるという危険がある。だが、「意欲と能力の間のギャップはコントロール可能」という誤った直感的考えを訂正しやすくなるメリットもある。

シナリオプランニングというアプローチもある（290ページ）。これは、想像力を駆使して将来を戦略的に予見し、シナリオに合わせて取るべき行動を決定するというものだ。ある状況下での行動をコントロールすることで、不確実性を低減させる。

［成功の基準］今あるものを活かしゴールまで最適なルートを導き出す

戦略家は、組織とステークホルダーに好ましい結果をもたらす行動を見つけ出さなければならない。現在地から目的地に到達するための良い方法を見つけることが、戦略が成功しているかどうかを判断する基準になる。すでに手にしているものを活用して、目的地に到達することを考えよう。

コントロールできるものとできないものを見極める。意欲とパフォーマンスの間にあるギャップを理解し、それを埋める。意欲が低ければ、組織の人間が自発的に達成を望むような目標を設定する。パフォーマンスが低ければ、それを改善して目標を達成できるようにする。

チェックリスト

□魅力的な目標を設定している。
□目標達成に対して、信頼性の高い戦略を策定している。
□組織の外部にある不確実性の度合いを理解している。
□パフォーマンスと意欲の間にあるギャップを把握している。
□能力と不確実性の間にあるギャップを、効果的に管理している。

［落とし穴］過去の成功体験が、失敗のリスクを高める

目標を達成できるスキルが大きく不足しているとき、過度のリスクが生じる。能力を上回る目標を設定しやすいのは、過去の成功体験や市場に対する過度の楽観主義によって、自信過剰な状態に陥っているときだ。社員の力量やタスクの難易度の見積もりが甘いときも同じだ。率直な意見交換をしにくかったり、相手に気を遣いすぎたりするために、社内に不安を口にしにくい雰囲気がある場合も、状況を悪化させる。周囲の変化を積極的に知ろうとしない態度も、リスクを高める。

意欲的なプロジェクトや目標に挑んでいなければ、それも問題だ。目標が低ければリターンも低くなり、現状維持すら難しくなるはずだ。ステークホルダーがこれを受け入れ難いと感じることもあるだろう。慎重になりすぎるあまり、市場でのシェアや利益を失うなら、会社が存続していくのは難しくなる。戦略家とリーダーの責務は、魅力的かつ困難な目標を追い求めるため、直接的にコントロールできる領域で、不確実性を減らすことだ。

まとめ

◎コントロールできるもの、できないものを明確にしよう。

◎社内外の不確実性の度合いを評価しよう。ここで紹介した質問の答えを検討しよう。チームでそれらについて議論し、生じる変化について考え、予測可能／不可能の問題に組織がどのように対処できるかについても検討する。

◎パフォーマンスと意欲、期待のレベルを比較しよう。意欲が期待より大きい場合、パフォーマンスを高めるか、短期的に意欲を下げることでギャップを減らす方法を考える。期待が意欲より高い場合、意欲を高める方法を考える。

◎シナリオプランニング（290ページ）で、戦略がどのように将来のリスクを増減させるかを検討しよう。ファイブフォース分析（276ページ）から、自社の競争力の増減に影響している要因を特定する。

◎リスク分析と意思決定のツール（NPVや決定木など）の使用状況についても検討しよう。これらの利用で、適切なレベルのリスクをとることが抑制されていないか、リスクについての理解向上に役立っているかも考える。
◎戦略を実現するための企業の能力、予期せぬ問題に対応するための企業文化やスキルについて再検討しよう。これは、意欲的な戦略の場合、特に重要だ。

［こんなアイデアも］人はリスクを見誤る傾向がある

ナシーム・ニコラス・タレブは、著書『ブラック・スワン』（ダイヤモンド社）のなかで、人々がリスクについて持つ考えの不正確さを指摘している。つまり、私たちはリスクの見積もりを誤ることで、避けるべきリスクをとり、とるべきリスクを避けてしまうのだ。さらにこれらは、情報不足、個人的恐怖、集団の力学などによって悪化する。

人間にはこうした傾向があると知ることで、他社が恐れているリスクをとったり、容易そうに見えて実はリスクの高い行動を避けたりできるようになる。これは、起業家が本能的に行っていることでもあり、良い起業家には衝動を上手くコントロールし、物事からパターンを見つけ出す優れた能力がある。

戦略

7 周りを観察する

戦略は他社の戦略と競合し、組織は他の組織と競争している。組織は、ライバル社や顧客の動向を把握しておかなければならない。

周囲を徹底して観察することは、戦略の重要な要素だ。前後左右をよく見渡そう。

［使用すべきタイミング／頻度］
定期的。

［主な対象者］
自分。

［重要度］
★★★

ネットフリックスは、郵送でのレンタルＤＶＤサービスを提供している。同社は、新たなサービスの実現に情熱的に取り組んできた。自社の存続を脅かす周囲の動向に目を光らせ、それに合わせて事業を柔軟に変更する。同社がこのサービスを開始したとき、アナリストはそれを、すぐに他社によって追いつかれる、価値のないアイデアだと酷評した。だがネットフリックスは、事業展開の速度を上げた。批判されても、それを戦略の改善のための動機づけに変えた。そして、大きな成功を収めた後も、同社が慢心することはない。

［目標］競合企業のさまざまなアイデアを組み合わせる

戦略は、競争がない場所ではつくれない。何もない場所では、戦略を実行できない。競争戦略は、他社の行動によってつくりだされた状況下で作用する。にもかかわらず、リーダーは、他社がどのような理由で、何をしているかを驚くほど把握していない。

・競合企業は何をしているか？
・業界を問わず、世界のトップ企業はどのような手法で経営を行っているか？
・自社よりも他社が優れている点は何か？

まずは、これらの質問について考えてみよう。競合店で買い物をしてみよう。競合の製品やサービスを買い、使ってみる。このような体験を通じてさまざまなアイデアをふくらませ、他社の優れている点、世界のトップ企業の方法論を学ぼう。世界で最も優れたアイデアは、自分の頭のなかにも、自分の組織にも、業界にもないと心得よう。ベストのアイデアを求めて、周りを観察することが大切だ。

競合企業を「真似ること」に懸命になるのではなく、競合企業から「学ぶこと」を意識しよう。観察の結果として見つけたものは取り入れても良いが、自社の戦略を差別化するために正反対の方法を実施しても良い。いくつもの企業から得たアイデアを組み合わせ、新たな発想を生み出すこともできる。

［背景］改善が難しい部分に、一歩前に出るヒントが

競合企業のことをはっきりと認識しよう。ライバル社の存在を、リアルにイメージしてみる。自分たちよりも良い何かを市場に提供しようとしている、頭が良くて行動力のある、生きた人々のことを思い浮かべよう。社内に、他社の情報を掲示するためのスペースをつくろう。そこに、ライバル社のロゴを飾り、製品をピンで留めよう。他社に欠点があれば、ときには強い口調で批判してもかまわない。それを自らの創造性を高めるためのモチベーションにしよう。

ブラックベリーのＣＥＯは、会議室の中央に自社の製品を置いた状態で会議をする。製

品を見ながら、顧客に提供している価値を高める方法について議論するためだ。自社の製品の周りに、最大のライバルの売れ筋製品を置き、自社製品の改善点を探るのも良いだろう。

・競合企業の製品を改善するとしたら、どの点か？
・自社製品が成功した理由は何か？
・他社の視点に立ったとき、自社を打ち負かすために打てる手は何か？
・競合企業の最善／最悪の行動に対して、どのように反応できるか？

容易に改善できる何かが見つかったのなら、それは素晴らしいことだ。だが、改善が難しい部分を見つけたときこそ、注目すべきだ。改善が難しい理由はさまざまだ。技術的、現実的な側面が原因である場合もあれば、既存のビジネス（収入）に大きく影響し得るために難しいと感じる場合もあるだろう。しかし、このような改善が難しい何かこそが、戦略的な視点からは魅力的なものになる。なぜなら通常、自社にとって難しいことは、他社にとっても難しいものだからだ。

［課題］自社の改善点の参考となる競合企業を見つける

身の回りだけでなく、その外にあるものに目を向けることは、多くの人にとって容易ではない。私たちは、与えられた仕事を遂行することで給料をもらっているうえ、それをこなすだけでも精一杯だ。1日は、目の前の仕事を片付けるだけで過ぎていく。会議は、現行プロジェクトの進捗確認のためだけに行われる。いったん目標を定めてしまうと、生じつつある出来事や、将来起こるかもしれない出来事には注意が向きにくい。

周りを見回すことは簡単でない。時間は限られているし、周囲を観察することで、仕事を増やしてしまう場合もある。決断すべきことも、議論すべきことも増える。

現状を維持し、問題から目を背けることで、当座をしのげることもある。しかし、戦略の前提を根底から疑うことは、大きなメリットをもたらす。外に目を向け、競合企業の行動を観察することで、社内の改善すべき点を見いだしやすくなる。

周りを観察したとしても、課題がすべて解消するわけではない。他社の動きについて行くために、決断をしなければならなくなるだろう。徹底的な観察をして、その結果をもとに積極的な行動をとらなくてはならない。単に他社の真似をすることは避けるべきだ。

・自社にとって競合企業はどこか？

・動向を観察することで自社のモチベーションを高められる企業はどこか？
・業界のベスト企業はどこか？
・業界で最も意欲的な取り組みをしている企業はどこか？

競合企業は慎重に選ぼう。「自社に良い刺激を与えてくれる」「何が可能かを示してくれる」「自発的な改善の意欲を高めてくれる」「必要なことを行う方法とそれをする理由を教えてくれる」などの競合企業を探そう。

［成功の基準］大きな損失の前に、リスクに気づけるようになる

周囲を観察する能力の向上は、切迫感の度合いで判断できる。毎日、時計を見て1日の残り時間を数えるのではなく、他社に追いつかれるまでに、あとどれくらいの時間が残っているかが気になるようになるだろう。

私たちは、自分の仕事に何らかの意味づけを与えている。他社との競争という要素が加わることで、仕事が持つ意味はさらに大きくなる。同業他社の社員より上手く仕事ができていると感じているとき、仕事の面白さも増す。

周りをよく見回していると、自社に重大な損害が及ぶ前に、外部で生じたリスクに気づけるようになる。競合企業の成功要因や、将来的に自社を脅かす存在になるかもしれない

ことを把握できる。新規参入の企業を、単に新参者であるという理由だけで軽視したり、従来から存在する企業を、ただ古いからといって過小評価してしまうような落とし穴を避けやすくなる。

チェックリスト

□自社にとって脅威や危険を感じさせる競合企業リストをつくっている。
□他社の情報を貼り出すための壁やスペースがある。
□社員が競合製品を使用し、検討するための時間が設けられている。
□組織と業界における、戦略上のターニングポイントを認識している。
□競合企業との競争を意識することで、社内に良い緊張感が生まれている。

［落とし穴］ 他社を参考にしすぎると意欲は下がる

競合企業を意識しすぎることで、社内にネガティブな影響が生じないように気をつけなければならない。人の価値観は異なる。競合企業がしていることや、今後起こり得ることを考えることで、仕事への動機づけを高める人もいる。だが、他社との比較がいきすぎると、社員のなかには、自分たちにとってベストな仕事のやり方が変えられてしまうかもしれないという恐れを抱いたり、会社のやり方に対して反感を抱いたりする人もいる。リーダーは、社員が誇りを持って仕事ができるよう、他社の動向に振り回されるようになってはいけない。リーダーは、社外だけでなく社内をも定期的に見渡し、チームの意欲を高め、さまざまなリスクを避けるようにしなくてはならない。

まとめ

◎他社の長所と短所を一覧に書き出そう。他社が何をどのように行っているかを深く理解し、何らかの対策がとれるようにしておく。
◎他業界の企業がしている優れた取り組みを一覧に書き出そう。どの企業に触発され、どの企業の製品を買い、どの企業を称賛したいと感じるか？
◎競合企業の存在をリアルなものとして意識しよう。その会社を象徴する物や競合製品を買い、テーブルに置いて社員が実際に使えるようにする。他社の情報を壁に貼り、広告やサービス、批判的意見などの情報を出そう。
◎他社を観察するための短い会議をしよう。筋書を用いて、長めの会議をする。競合企業の最善手に対して、どのように反応できるかを検討する。他社の動向への反応を、チャンスに変えるためにはどうすればよいかを考えよう。

［こんなアイデアも］戦略の変わり目で、どう行動するか

インテルの元CEOアンドリュー・グローブは、著書『インテル戦略転換』（七賢出版）のなかで、戦略では、ある意味で偏執的ともいえるほどの柔軟性によって、競合企業との競争のなかで生じる避けられない変化に反応しなければならないと主張している。このアプローチは、企業が生き残るためには、「戦略の変曲点」（自社の戦略の有効性が失われる地点）で賢い行動をとり、それらを未来の具体化のためのきっかけに変えることが必要だと説くものである。

戦略 8 〝青い芝生〟を探す

それまで会社に収益をもたらしていたものであっても、いつかはその力を失う時期が訪れる。新製品が、従来製品の人気を上回る。まったく新しいサービスが、古いサービスに取って代わる。製品を売る最善の場所が変化する。重要な顧客が、購入を止める。

企業はこうした変化に合わせて、いつ従来の方法を変更すべきかを判断しなければならない。

［使用すべきタイミング／頻度］
定期的に、年4回。

［主な対象者］
幹部。

［重要度］
★★★★

インテルとマイクロソフトは、アメリカのパソコン市場を支配し、莫大な収益を手にした。当時、この2社の敷地内の〝芝生〟は青かった。しかし現在では、パソコンよりもモバイル機器でインターネットを使う人が増え、先進国より新興国のほうがパソコンを使う人の比率が高くなっている。つまり今は、2社の隣の芝生が青くなっている。このような市場の変化は、どのような企業にも起こり得る。どの企業も、新たな市場に移行すべき適切なタイミングを探らなくてはならない。

［目標］新市場進出への綿密な計画を立てる

新市場に焦点を合わせるべきタイミングを知ることは、競争戦略においてきわめて重要だ。この判断は、長期的な計画に従うべきであり、慌てて行うものではない。新市場への移行は、計画外のものであってはならない。この種の市場の変動は、早い段階から把握しておくべきだ。これは長期的な傾向に合わせて先手を打って行うべきものであり、そのときどきの状況に合わせる形になるべきではない。次の問いを考えてみよう。

・既存の市場や競合企業の状況（成長、停滞、縮小）はどうか？
・自社が参入している市場よりも、速いスピードで成長している市場はあるか？

市場が成長し、多くの企業がその恩恵を受けられそうであれば問題ない。だが市場が縮小していれば当然、問題が生じる。市場が停滞し、現状は特に大きな変化がなくても、やがては何か変革が必要になるはずだ。新市場で急成長している競合企業が近い将来に脅威となる可能性は高い。

［背景］成長する市場で、〝旨み〟を狙う他社に勝つために

市場が成長し続けているなら、将来、新たな拡大の機会が生じるはずだ。戦略家は、この拡大を、いつ、どこで実現すべきかについて考えなくてはならない。

市場が速いペースで成長していても、競合企業がそれ以上の速さで成長していることもある。その結果、成長している市場に移っても、大きな壁に直面しかねない。市場シェアのわずかな減少が利益率に大きく影響することもある。市場シェアの伸びを活用してさらなる成長を図る競合企業によって、大きなダメージを受けることも十分に考えられる。

新たな競合企業には、特別の注意が必要だ。これらの企業は、あなたがいる市場に何からの〝旨み〟を見いだしている。〝青い芝生〟を求めて他の市場から来たケースもあれば、まだ気づかれていない驚くべきチャンスを市場のなかに見つけたのかもしれない。

急成長している市場は、細かく観察するようにしよう。急成長市場への参入に関する戦略的意思決定は、熟考に値する。現状は小さくても、今後、大きく成長しそうな市場もあ

る。すでに大規模だが、さらなる拡大が見込まれる市場もある。現在参入している市場と似ている場合もあれば、既存の市場のセグメントの一つである場合もある。きわめて異なっているが、既存の市場で得た利益を投資することで、参入が可能な市場もある。

［課題］新しい市場に乗り出すために周囲の説得を

〝壁の向こう側にあるかもしれないもの〟のために、自分の庭にすでにある青い芝生を簡単に犠牲にできるものではない。既存市場での成功に満足している人に、新市場を探すべきときが来たことを確信させるのは難しい。説得のために十分な論拠が必要だ。

・新市場の成長速度はどれくらいか？
・新市場を無視した場合、何が起きると考えられるか？

戦略的思考の持ち主の仕事の一部は、戦略を売り込むことだ。新市場に関するさまざまな側面について、確かな統計データや傾向を用いて検討し、状況を明確にしたうえで、完璧ではなくても、最善の決断が下せるようにしなければならない。

・新市場は、世界のどの地域で成長しているか？

・成長を牽引《けんいん》している客層は?
・新市場で競合する主な企業はどこか?
・新市場における最も重要な消費者動向は何か?

もちろん、新市場での機会を理解することは重要だ。だが、それ以上に重要なのが、新市場が自社にもたらすメリットを理解することだ。新市場を活用し、成功を得るための方法を探るために、次の質問の答えを考えてみよう。

・新市場で勝つために必要なものを持っているか?
・新市場で求められる技能や知識を得るためには何が必要か?
・2つの市場に同時に労力を投じるためには、どうすればよいか?

[成功の基準] 新市場に必須のものを把握する

既存の市場を知ることが、重要な第一歩だ。その規模、市場シェア、自社の利点を理解しよう。他社の分析もしよう。強力な競合企業に圧迫されて、立場が弱くなっていないか。あるいは、将来そのような事態に追い込まれないかを探ろう。市場のカギとなる傾向を理解し、それらがどのように自社のポジションに影響するかを検討しよう。

次に、他のさまざまな分野の市場について理解する。自分たちの市場と最も近いのはどれか。それらの規模、成長率、客層、カギとなる傾向を探ろう。他業界で最も成長が速い市場にも注目しよう。その成長は、自社にとってのチャンスにも脅威にもなり得る。最も急成長している市場は、一見すると無関係と思われる業界にも影響を与える可能性が高い。

新市場に参入し、そこで競争するために必要なものを理解しよう。それによって、将来、どのタイミングで重要な決断をすべきかが把握しやすくなるはずだ。新市場への参入が大きな意味を持つのはどのようなタイミングだろうか？

チェックリスト

□市場が成長、または縮小しているのか、およびその度合いを理解している。
□市場の競合の要因となるもの（とその度合い）を理解している。
□成長が速い市場を特定し、分析している。
□新市場に参入するための十分な理由と計画の用意ができている。
□リーダーが、新市場参入のための投資と行動を準備している。

［落とし穴］新市場では、実績が役に立たないことも

新規参入が成功するとは限らない。ある企業の経験や製品が、すべての急成長市場で通用するわけではない。新市場にチャンスを見いだし、社内の誰もが変化の必要性に気づいていたとしても、その実現方法を知っているとは限らない。戦略を実現するための資源や知識、プロセス、関係性が不足している場合もある。それに、どの市場にも参入障壁がある。

新市場についての予測が、楽観的すぎる場合もあるだろう。変化が急激に起こり、成長率が予測を下回ることもあるだろう。あなたと同じように新市場でのチャンスを感じとった競合企業が、殺到することもある。その結果、思っていたほどの利益やメリットが得られないことは、十分に考えられる。

まとめ

◎既存市場の成長率を調べよう。それが、将来的に会社にとって何を意味するかを考える。縮小市場なら、目標達成のためにどんな戦略を用いるべきか？

◎他の急成長市場を探ろう。まずは、既存製品／サービスに最も近い市場に、次

に世界で最も急成長している市場に目を向ける。既存製品を新市場で売るための方法を検討し、新市場向けにどんな製品を開発できるかを調べよう。
◎チャンスが本物であることを確認しよう。新市場への参入が、現在の市場での苦戦や厳しい決断からの逃避であってはならない。新市場での取り組みが、既存市場よりはるかに厳しいものになる場合も十分にある。
◎何もしない、あるいは既存の市場にしがみつくことのコストを理解しよう。新市場が厳しいものでも、実験する価値がある場合もある。変化することにも、変化しないことにもリスクはあると心得よう。

［こんなアイデアも］他社との競争を左右する5つの要因

アメリカの経営学者、マイケル・ポーターは、競争に影響を与える5つの要因を表す、「ファイブフォース」を定義している。①既存の競争企業との敵対関係――現在の競争の状態。②新規参入者の脅威――競争者が増えるために、競争が激化する。③代替品の脅威――消費者が新たな製品を求めるようになるため、既存製品の需要が低下する。④供給者の交渉力――製品の需要と供給の関係が、競争に影響を及ぼす。⑤顧客の交渉力――買い手の所得や関心に応じて、製品への需要が影響を受ける（276ページ）。

第3部

戦略の策定

現在地から目的地に移動するための戦略を策定しなければならないときが、いつか必ず訪れる。現状に満足しているとしても、現状に留まるための戦略が必要になる。あなたの現在のポジションを脅かすために、他社は戦略をつくり、状況を変えようとしているからだ。

戦略をつくることとは、全体像を見ることである。目の前の仕事に忙殺《ぼうさつ》されるのではなく、時間をつくって、もっと広い視野で物事を考えなくてはならない。そうすることで、市場や環境の文脈に合わせて日々の仕事も行いやすくなる。現在地を知らなくても仕事はできる。だが、状況を把握し、それに合わせた行動をとることは、さまざまなメリットをもたらしてくれる。そのために役立つのが、戦略だ。

全体を俯瞰することで、目的地がどこかもわかりやすくなる。戦略は、組織の全体的な意図と方向性を示せる。後述する「ストラテジー・クエスチョン」（270ページ）の答えを考えることで、進むべき方向性を探ろう。

戦略をつくることとは、メリットを見いだすことでもある。戦略の立案を通じて、その実行に十分な見返りがあるかどうかを検討できる。会社が世の中に貢献できることと会社の利益が、どの程度重なりあうのかを探ることもできる。

世の中が求めているものを提供すると同時に、会社が存続、繁栄できるようにするための戦略をつくることもできる。価値とメリットは必ずしもイコールではない。戦略によって、行動が全体に及ぼす影響と、短期的な目標追求の間にある違いを理解できるようになる。つまり、4半期では勝つことができても、10年単位で負けてしまわないようにすることが大切なのだ。

完璧な戦略などはない。戦略とは、「ストラテジー・クエスチョン」に対する、現在進行形の答えなのだ。会社の全体的意図を効果的に実現するには、出来事に反応し、競合に適応する必要がある。

全体像を視野に入れながら、何をすべきかについて戦略的な意思決定をしなければならない。すべてを決定する必要はない。だが、決定の内容次第で、成功は大きく左右される。ただちに社員に目標達成を促す決定もあれば、将来の大きな行動に向けて賢く準備をするための決定もあるのだ。

戦略

9 全体像を見る

戦略家は、会社の全体像を見る。TO DOリストや生産計画、数カ月先の予定などのもっと先にある、1年、10年、100年の単位で物事をとらえようとする。

また戦略家は、会社や国、業界の外で起きていることにも興味を持っている。

［使用すべきタイミング／頻度］

定期的に、時間をかけて。

［主な対象者］

自分と上司。

［重要度］

★★★★

ツイッターのアイデアは、ブレインストーミングで大きな絵を描こうとするなかから生まれた。

ポッドキャスティング企業の出身者数名が、強敵であるアップルとの厳しい競争に生き残るために何をすべきかについて、戦略の構想を練っていたときのことだ。1人が、SMS（ショート・メッセージ・サービス）の特徴を活かした新たなサービスを思いついた。彼らはプロトタイプを開発し、それがツイッターの前身になった。4年後、ツイッターのユーザーは2億人を超え、資産価値は数十億ドルに達した。ツイッターの成功は、既存の計画の枠にとらわれない発想から生まれたものだった。

[目標] 俯瞰的な視野を手に入れる

全体像（とそれについてやるべきこと）を考えることは、戦略の本質だ。日々の仕事をいったん忘れ、他のチャンスを探ることは、戦略的思考の基本である。日々の仕事は、もちろん重要だ。だがその重要度は、後で振り返ったときに、その時点で考えていたよりも低くなる場合もある。全体像を見なければ、せっかくの今日の仕事が、長期的に見て無駄になるリスクが高まる。偶発的な出来事で目標の重要度が下がる場合もある。

先を見通す

未来の可能性を探ることも、戦略の全体像を見ることの一部だ。現在の流れが続く場合、会社には何が生じるだろうか？　現在の前提が間違っているとしたら？　重要な市場の一つが消失したら、会社はどれくらい持ちこたえられるか？　方向性を変えたら、どのようなメリットが得られるか？

将来に目を向けることで、変化を実行するタイミングを判断しやすくなる。先を見通しておくことで、目の前に現れたチャンスを活かしやすくなる。全体像を基準に考えることで、日々の出来事が将来的な観点で何を意味するのかを理解しやすくなる。

過去を振り返る

全体像には、過去について考えることも含まれる。「会社の成功要因は何か？」「創業以来、大きく成功したもの、失敗したものは何か？」「どのようなプロジェクトに取り組んできたか？」「過去は、会社の現在にどのような影響を及ぼしているか？」「学ぶべき教訓は何か？」「捨てるべき古い教訓は何か？」などを考える。

過去を振り返ることの目的は、会社の現在の状態や、現行の仕事の進め方への理解を深めることだ。過去へ遡《さかのぼ》ることで、長期的な傾向を把握しやすくなる。会社のポジションや、社員の物の見方が、どのように形成されてきたのかが見えてくる。

外に目を向ける

全体像を描くためには、会社や市場、国外に注目することも重要だ。「今、世界で最も顕著な潮流は何か？」「会社に影響を及ぼす社会変化は何か？」「競合企業は何をしているか？」「新たな標準的手法は何か？」「会社は世の中やライバルに後《おく》れを取っていないか？」「どの企業から学ぶことができるか？」などを探ろう。

外に目を向けることで、世の中のニーズにも気づきやすくなる。他の業界の雑誌や記事に目を通そう。自分の仕事とは直接関係のない製品を使ってみよう。旅行をして、写真を撮ってみよう。世の中のあらゆることを、好奇心を持って観察しよう。

［背景］普段の仕事だけでは「全体からの視点」に欠ける

多くの人は、自分の仕事やチームに関係のないことにはあまり目を向けようとしない。これは〝小さな絵〟だ。自分たちの仕事が、会社全体にどう貢献しているかを見ようとしない。他の部署の役に立つために、自分たちの仕事をどう改善するかを考えようとしない。全体像を見れば明らかな、迫り来る脅威に気づかない。だからこそ、次のような質問の答えを考えることには価値がある。

・会社の公式な戦略は何か？
・会社の経営状態と業界の景気はどうか？
・会社と業界に対する世間の評判はどうか？
・自分とチームの仕事は、会社全体や世の中にどれくらい貢献しているか？

他にも色々な質問が考えられる。重要なのは全体像をイメージすること。それにより、さらに良い判断と効果的な行動が可能になる。全体像を描かなければ、戦略的思考はできない。チャンスをつかむことも、迫り来る脅威を避けることも難しくなる。

［課題］会社内外の状況をシンプルにとらえる

先を見通し、後ろを振り返り、外に目を向けることは全体像を見るために欠かせない。だが、それはあくまでもスタートだ。次のステップは、詳細に観察したなかから本質を抽出して単純化し、会社内外で何が起きているかをはっきり理解することだ。

このようにシンプルなモデルで世界を表すことは、他者との全体像の共有にも役立つ。全体像を単純なモデルで見られれば、次に起きることが何かを、混乱せずに論じやすくなる。行動が未来に及ぼす影響を理解しながら、戦略を考えられる。戦略の意図を周囲にわかりやすく説明できるので、支持も得やすくなる。

全体像を視覚的に表すことも重要だ。それは会社の今のビジネスと、世界のなかでのポジションを描くものであるべきだ。全体像を描くことは、社内外の出来事や可能性を細かく観察することだ。だが、全体像の共有には、それを視覚的に表現することのほうが、はるかに簡単だ。本書でも紹介する、戦略を視覚的に表すためのベストモデルが広く浸透しているのもそのためだ（第6部「戦略ツールキット」）。

［成功の基準］描いた全体像に、新情報もはめ込む

新情報を、頭のなかの全体像にはめ込むことができれば、全体像を描く能力が上達した証だ。アクシデントやノウハウが、会社の現在・将来の計画に及ぼす影響を予測できるようになる。多様なシナリオを想像できるようになり、新たなチャンスも認識しやすくなる。会社の現状をシンプルなイメージで描けるようにもなる。特に美しい図でなくてもよい。現況や直面している圧力、脅威、チャンスなどを機能的に表していれば十分だ。周囲の支持を得るため、全体像を上手く伝達できるようにしておくことも重要だ。

これらの能力が高まることで、あなたは全体像を見ている人間だと評価されるようになるだろう。アイデアを上手く売り込んで、社内に影響を与えるための最善の方法を探ろう。戦略上のアイデアを、会社や各社員の願望と結びつけることが重要だ。

チェックリスト

□社員全員が、会社の将来を大きな視点でとらえている。
□現在の会社の成功要因が、全体像のなかで把握されている。
□会社や業界の全体像に合わせて、自分の仕事を行っている。
□全体像をシンプルに描いているので、明確な選択がしやすい。

［落とし穴］複雑になりがちな全体像

全体像が、複雑になってしまうこともある。見るべき物事があまりにも多く、何をすべきかも、何が起きているかもわからない。この本で紹介するツールを使って、全体像をシンプルにすることが大切な理由はそこにある。戦略家は、細かな部分に目を奪われてはいけない。全体を俯瞰して、意味を理解する必要がある。また、他者が全体像を理解し、行動をとりやすくするために、明確なイメージも提供しなければならない。

まとめ

◎組織の正式なミッションと戦略を明らかにしよう。
◎自分の役割が、どのように会社の成功に貢献するかについて考えよう。
◎SWOT分析、ファイブフォース分析、シナリオプランニング（274、276、290ページ）を用いて、全体像の理解と周囲との情報共有に努めよう。
◎過去、現在、未来を吟味し、組織に影響を与える全体像をとらえよう。
◎会社の現在の仕組みや将来起こり得る変化を視覚的に図表化しよう。
◎カギとなる傾向などを明らかにし、それらを定期的にチームで議論しよう。

［こんなアイデアも］顧客の声に耳を傾けすぎるな

ハーバード・ビジネス・スクールの教授、クレイトン・クリステンセンは、著書『イノベーションのジレンマ』（翔泳社）のなかで、顧客の声に耳を傾け、それに向けて新製品を開発している企業の多くは、全体像を見落としがちになると主張している。現在の成功は、未来を見通すことの妨げになる。

戦略

10 ポジション、意図、方向性を見つける

「競合企業に対して、どの部分で競争しようとしているのか」「全体像を視野に入れたうえで、何の達成を目指しているのか」「現在地から、どこに向かって、どのような速度で進もうとしているのか」。これらの問いに対する、はっきりとした答えを持っておくことは重要になる。

［使用すべきタイミング／頻度］
毎年、定期的な確認のなかで。

［主な対象者］
幹部と組織全体。

［重要度］
★★★★★★

アップルは下り坂だった。アイデアが枯渇《こかつ》し、市場でのポジションについての考えも混乱していた。同社は美しくない灰色のコンピューターをつくり、Windowsパソコンの2倍の価格で売ろうとしていた。アップルを救ったのは、創業者のひとりであるスティーブ・ジョブズのカムバックだった。インダストリアルデザイナーのジョナサン・アイブがデザインした、キャンディーのような華やかなカラーのiMacも同社の復活に貢献した。ただし、アップルの戦略上のポジションを真に確固たるものにしたのは、iPodだった。ポジションや方向性を明確にしたことで、その後10年、アップルは音楽や映画配信、モバイル市場で飛躍的な成長を遂げた。

[目標] 市場での明確なポジションを確立する

自分が何をしようとしているかを把握することは重要だ。そのためには、目標やタスクを明確にしなければならない。しかし、戦略はそれらのパーツを単純につなげた以上のものだ。戦略はパーツを結びつけ、集積させることで、より大きな価値を生み出す。また、個々の行動の価値は、競合企業の行動や消費者のニーズとも深く関連している。

人々は、あなたの会社を「市場でどの位置にいるか」という視点で見る。製品／サービスを買う顧客は、あなたの会社のそれが競合企業とどのような差別化を図っているのかを知ろうとする。社員が会社に貢献するためには、会社が何を達成しようとしているのか

（または達成を目指していないのか）を知っておく必要がある。

はっきりとした戦略上のポジションを確立することで、競合企業との無駄な争いを避けやすくなる。ただし、それが可能になるのは、競合企業がすぐには真似できないようなポジションをつくりあげたときだけだ。アップルがその独創的な製品やサービスによって確立したポジションは、数年が経過しても、他社がコピーすることがきわめて難しいものだった。

［背景］軸となるミッションステートメントの重要さ

ポジションを見つけ出すことは、周りがそれを理解しやすい方法で、何を達成したいかを明確にすることだ。これは会社の現在のポジションと目指しているポジションを周囲に知らせるための、戦略におけるオリエンテーションである。

会社が掲げるミッションステートメント（戦略的指針を一枚の紙に書き表したもの）は、社員の不評を買いがちだ。その理由は、それらが、真に求められていることを会社が考慮せずにつくられている場合が多いからだ。このような無意味な言葉は、社員を失望させる。だが、ミッションステートメントは、強力なスローガンにもなり得る。それは、戦略上の全体的な意図に基づいて、意思決定や行動を判断するための基準になる。アップルのミッションステートメントは、１つの段落で表されており、次の内容が含まれている。

・アップルは、世界で最高のパーソナル・コンピューターを設計する。
・アップルは、デジタル音楽の革命をリードする。
・アップルは、革新的なiPhoneとアップストアによって、携帯電話を再発明する。
・アップルは、魔法のようなiPadの導入によって、未来の携帯メディアを実現する。

このミッションステートメントは、一種の戦略史でもある。最高のパーソナル・コンピューターを設計し、デジタル革命をリードするうえで、アップルに明確な方向性があったことがわかる。戦略的意図に基づいて携帯電話に革命がもたらされ、さらにiPadでモバイルの未来が実現したこともだ。

最善のミッションステートメントは、時間とともに変化する。それは、組織のポジション、意図、方向性を定義する。従業員やパートナー、投資家とのはっきりとした情報共有が可能になる。顧客は、これらの言葉をさらに短くして会話に用いる。

アップルはiPhoneの新バージョンで「これでまた、すべてが変わる」というスローガンを、オリジナルのiPadで「魔法のような革新的な機器を、驚きの価格で」というスローガンを使った。このような一貫性は、戦略の効果を高める。

［課題］サービス／製品と、ミッションステートメントを融合させる

ただし、ミッションステートメントをつくるだけでは、戦略上のポジションを見いだすことはできない。そのためには、会社が顧客に提供しているものの特徴の組み合わせを理解しなければならない。アップルは、「最高のパーソナル・コンピューター」と「魔法のような革新的な機器」を設計することに高い優先度を置いていたのに対し、同じコンピューターメーカーのデルは、次のようなミッションステートメントを掲げていた。

・最高の顧客体験を提供することにおいて、世界で最も成功したコンピューター企業

アップルとデルの優先事項と戦略上のポジションは、大きく異なる。アップルは最高の機器をデザインすることで、デルは最高の顧客体験を届けることで、他社との競争に挑もうとした。アップルは世界最高の企業を目指し、デルはコンピューター業界で世界最高の存在になることを目指した。

あなたがデルの新入社員なら、会社がデザインよりも、財務的な成功と市場シェアに興味を持ち、ライバルを超える顧客体験の提供を目指していることに気づくはずだ。同じく、会社が最高のテクノロジーや、最高のデザイン、魔法のような体験を追い求めてはいない

ことも。

アップルのような戦略が、財務的な成功を導くこともある。だがそれは、あくまでも結果として得られるものである。同じように、デルのような戦略が魔法のようなデザインを生み出すかもしれないが、それは会社が戦略的な意図でそれを目指した結果ではない。

戦略やミッションステートメントが持つロジックと、それがもたらす結果は、従業員やパートナー、顧客の行動に影響を与える。だからこそ、戦略的な意図やミッションステートメントの文言は、慎重（かつ創造的に）に検討しなければならない。

［成功の基準］市場でのポジションが、何をすべきかを決めている

ブランドと組織にとって重要な特徴を、2つ選ぼう。アップルは、「デザイン」と「リーダーシップ」を選んだ。デルはこの2つに高い優先度は置いていない。同社は、財務的な成功と、ライバル社との比較における顧客体験に興味を持っている。この2つの特徴は、成功と、市場における競合との比較の指標になる。

市場でのポジショニングは、社員に会社の置かれている状況と、進むべき方向性を示すものであるべきだ。また、社員の動機づけを高め、創造的かつ積極的な方法で会社に貢献することを促すために、活気に満ちたものでなければならない。

社員の日々の活動や戦略上の方向性を導く、会社のカギとなる特徴を理解しよう。「低

価格と高品質」「魔法のようなデザインと高いブランド価値」「高いファッション性と適度な品質」などだ。ポジションにはさまざまなものが考えられる。大切なのは、業界にとって重要な特徴を考慮したうえで、自社にとっての独自の特徴は何かを考えることだ。

この情報をもとに、戦略上のポジションを視覚化しよう。市場のなかで、自社とライバル社はどのような位置にいるのか、会社が将来どこに進もうとしているのかを示そう。

たとえばデルは、現時点、中程度の価格とデザインを持つ製品でポジションを確保しようとしている。ライバルの企業は、低価格やハイレベルのデザイン（たとえばアップル）を売りにしている。デルには、現在のポジションを維持するか、あるいは価格を下げるか、デザインの質を高めるか（あるいはその両方）の選択が迫られる。

ツイッターは、〝いま起きていることを見つけだす最高の場所〟というスローガンを掲げている。そこには、きわめて明確な戦略的意図がある。その最大のライバルであるフェイスブックのミッションは〝人々に共有する力を与える〟。ツイッターとの差別化は明確だ。

理想的には、自社のポジションから、戦略に適した行動が何であり、それをいつ実行するかを明確にすべきだ。ポジションは、事業のスタイルに影響を与え、個人やグループの日々の業務の指針になることが望ましい。会社のポジション、意図、方向性に従い、社員は自律的に仕事に取り組むようになる。

チェックリスト

□市場における会社のポジションを理解している。
□会社の行動の意図と焦点が明確になっている。
□全社員が、会社がどこに向かっているか（方向性）を理解している。
□ポジション、意図、方向性を伝える明確な方法を持っている。
□社内の強い支持を得て、会社全体を行動に向かわせるものにするために、戦略の信頼性と一貫性、動機付け効果を確保している。

［落とし穴］曖昧なミッションステートメントが混乱を招く

戦略上のポジションを決めることは、一見すると容易に思える。だが、実際に市場で独自のポジションを構築しようとすれば、それが簡単でないことがわかるだろう。ポジションは、曖昧《あいまい》なものになってしまいがちだ。ポジションが、単なるスローガンと混同されているケースも多い。ミッションステートメントが、漠然とした言葉や、さまざまな意味で解釈できる言葉で表現されている場合もある。それは、無駄や非生産性につながる。

たとえば、マイクロソフトが「顧客の潜在能力を最大限に引き出す」ことを旗印に掲げたとき、それが何を意味しているかを誰もが同じようにはっきりと理解できるだろうか？漠然としか理解されていないのなら、当然、戦略に基づいた一貫性のある行動にも結びつきにくくなる。もちろん、このようなスローガンが有意義な結果をもたらすこともあるだろう。だが、それには多大な労力が必要だ。具体性を欠く言葉は、混乱を招くだけだ。耳当たりの良さに騙されてはいけない。

まとめ

◎慎重かつ創造的に、市場でのポジションを探ろう。市場を広い視野でとらえ、会社の特徴は何か考えよう。コストや品質にも検討し、他の差別化要因を考える。

◎戦略ポジションのマップをつくり、会社がどこの位置にいるかを考えよう。低コスト、低品質、高コスト、高品質など、会社に当てはまる特徴は何かを検討する。低コスト、高品質の製品を提供する方法を理解しているだろうか。

◎市場における会社のポジションと意図をはっきりと言語化する方法を考えよう。1行のスローガンでそれを表す。ただし、歴史的な側面が反映されている1パラグラフバージョンもつくり、スローガンはそこから抜き出す。これによって、社員にポジションと意図を伝え、それに沿った行動を促しやすくなる。

「こんなアイデアも」「どこで競争するか」で決定や行動が決まる

ハーバード・ビジネス・スクール教授のマイケル・ポーターは、ポジショニングは戦略の多くの部分を占めるものであると述べている。いま競争をしている場所と、これから競争したい場所を明確にすることで、意思決定や行動は自ずと明確になる。ポーターは、これらの決定をするのに役立つ、一般的な戦略の枠組みを提供した。しかし本書では、差別化を成功させるために、他のツールを活用することも推奨する。

戦略

11 強みを探す

業界のルールに従っているだけでは、いずれ限界に突き当たる。他社と同じような製品、サービスを提供していても、それを顧客が購入してくれているのなら、価値があると言える。

だが、創造的な戦略家にとっては、それでは不十分だ。利益を増やし、さらなる成長を目指すためには、それを可能にする競争優位を見いださなくてはならない。

［使用すべきタイミング／頻度］

正式に年４回。非公式に随時。

［主な対象者］

自分と組織。

［重要度］

★★★★

ボーダフォンにとって、「ボーダフォンであり続けること」は簡単ではない。規制当局は、同社が顧客に請求する料金の基準を引き下げようとするし、ライバルはあらゆる価格帯と顧客層向けに製品とサービスを提供しようとする。

だからこそ、ボーダフォンは新たな競争優位を見いだし続けなければならない。同社はスケールメリットを活かし、コストを10億ドル削減して利益率を改善し、新たな成長機会を求めて、法人顧客や新興市場、パッケージ商品に投資をしている。ボーダフォンは常に、新たな何かを探している。

［目標］競争優位に立つ3つの戦略の実践

目的は、生き残り、繁栄するための競争優位を見いだすことだ。競争優位にはさまざまなものが考えられるが、手始めに次の３つの一般的な戦略を検討することをお勧めする。

まず、「コストリーダーシップ」。これは、競合企業より低コストで製品やサービスを提供できることを意味する。市場の競争が激しい場合は、同等の力を持った競合する数社とコストリーダーシップを共有する場合もある。たとえば、ある製品を最も低コストで生産できる国があり、その国のなかに複数の競合企業がいる場合などがある。コストリーダーが１社だけというケースはどの分野でも稀《まれ》だが、この一般的な戦略はまず検討すべきものとして効果的だ。

コストリーダーシップは、他社より効率を高めることでも達成できる。この効率化は、プロセスや製造技術の改善、品質管理の無駄を省くことなどによって実現できる。安い労働力の活用、販売対象市場に近い場所での事業展開、輸送費や小売原価の削減などでも達成が可能だ。

次に、「差別化」だ。これは、競合企業とは異なる製品やサービスを提供することを意味する。他に誰も提供していなければ、コストを低くするために頭を悩まさなくてもよい。製品の価値が高まれば、価格も高く設定しやすくなる。差別化は、競争力強化に大きなメリットをもたらす。

差別化は無数の方法で実現できる。たとえば製品を小さくする、大きくする、速くする、遅くする、重くする、軽くする、美しくする、醜くする——また、他の製品と上手く組み合わせることでも実現できる。有名人やバイラルマーケティング（口コミ）による宣伝で広めることもできる。利便性を高める、高級感を出す。色使いや模様を変えることでもできる。効率性や静音効果を高めたり、新機能を増やしてもいい。

差別化のポイントは、数ある製品やサービスのなかから金と時間を投資しても良いと顧客に思われること、コストよりも大きな価値を生み出すことで、製品やサービスの提供を続けられるようにすることだ。提供側が使う「差別化」という言葉は、あくまでも表現にすぎない。本当に差別化されたものであるかどうかを判断するのは、金を支払う側だ。

一般的な戦略の3番目は「集中」だ。これは一種の差別化だと言える。市場のマイナーな部分に集中することで、他社に差をつけようとすることだからだ。この戦略は、地理的な制約によって選択されることもある。たとえば、地域で唯一の美容院には、自ずと集中の戦略が当てはまる。

集中は、ニッチな顧客層をターゲットにした広告とその後のフォローアップのプロセスによって実現されることも多い。ニッチのニーズや望みに応えていくために、サービスや製品は長い時間をかけてゆっくりと変化し、焦点も変わっていく。

［背景］3つの基本戦略は組み合わせられる

理論上、この3つの一般的な戦略のうち、選べるのは1つだけだ。ただし実際には、3つの戦略は部分的に重なり合っており、それらを組み合わせることもできる。

製造原価の大きな違いは、強力な効果になり得る。他社がこの差に対して、短／中期的なスパンでは追いつけなければ、その効果はさらに高まる。

日本の自動車メーカーはかつて、欧米のライバルよりもコスト効率の面で優位に立っていた。このコストリーダーシップによって、ライバルより安く製品を売り、市場シェアを獲得することが可能になった。また、競合企業と同等レベルの価格にすることで、莫大な利益を上げることもでき、さらなる投資も可能になる。この投資によってさらに強化された日本の自動車メーカーは、欧米にとっていっそう脅威となっていった。

日本の自動車メーカーは、一般的な戦略を組み合わせた。小型車市場の隙間を狙った低価格車種から始め、次により高価な車種に移行した。ミッドレンジのファミリーカー、高級車、スポーツカー、さらにはフェラーリと争うまでのスーパーカー市場にも進出した。

日本のメーカーの成功は、コストリーダーシップと、特定の市場やセグメントへの集中、そしてそれらを通じて実現された差別化による競争優位を基盤にしていた。長い時間をかけて組み合わされたこの3つの戦略によって、日本の自動車メーカーはきわめて成功したグローバル企業としての地位を確立した。

[課題] 差別化には高い想像力が求められる

3つの一般的な戦略（コスト、差別化、集中）はそれぞれ、計画を作成し、それを実現するためのさまざまなスキルを必要とする。コストリーダーになりたいと望むことや、ユニークな特徴があれば効果的だと考えることと、実際に最大のライバルよりもコストを削減したり、顧客がユニークさと価値を認める製品機能を実現したりすることとは、まったく別の話だ。

コストリーダーシップとは、投資利益率であるとも言える。つまり、戦略によって投資への大きな見返り（理論上と運営上）を得られることを示している。高い利益率を実現できれば、そこで得た資金によって、戦略で必要とする資源を得やすくなる。これは成功と呼べるものだ。他社が得られない資源を手にすることになるからだ。これは長い期間をかけて初めて実現できる成功であり、会社は投資を続けることで戦略をさらに強化し、他の戦略や競合はますます投資のための資金を得にくくなる。

コストリーダーシップには、競合企業よりも低い価格での製品やサービスの提供も含まれる。これはコスト削減戦略と原価管理を必要とする。資材の調達先、連携すべきパートナー、採用する生産技術をどう選択するかを理解し、正確かつ効率的なサプライチェーンを持つ必要がある。これらすべては、低コストを長期的な競争優位にするために不可欠だ。また、規模（1つのアイテムの生産量）とスコープ（類似のアイテムの生産量）も考慮しなければならない。これらはコスト削減の従来型の方法だ。また、JIT（ジャストインタイム）、リーンマネジメント、シックスシグマ、TQM（トータル・クオリティ・マーケティング）、BPR（ビジネス・プロセス・リエンジニアリング）、継続的改善などの革新的な技法もある。

創造性と規律も必要だ。コスト削減のスペシャリストとの相談も必要だが、同じ目標を達成するためのさまざまな代替手段も検討しよう。

たとえば、アパレルチェーンのZARAは、ヨーロッパの市場向けに地元スペインを中心とした低コスト地域での製造を行い、低価格と柔軟な事業展開を実現している。戦略家は、全体像を見るべきだ。また、目標の衝突やさまざまな矛盾点にも注意しておかなければばならない。

マーケティングは、規模の大きさによってメリットが得られる分野だ。製品の総売上が大きければ、それだけキャンペーンやメディア向けの費用が総コストに占める割合が低くなるからだ。開発研究も同様だ。また、部品、サービス、原材料の調達なども、規模が大きければ価格交渉がしやすくなる。コストリーダーシップを達成・維持するための戦略において、規模はその基盤になる。

規模がもたらす他のメリットには、製品やサービスを提供するための能力や経験が、コストを増やさずに繰り返し使えるコア・コンピタンス（他に真似できない核となる能力）になることが挙げられる。たとえばアップルは、iPhoneを2機種のみ販売するという戦略によって大きなメリットを得ている。

機種を絞り込むことのメリットを学んだアップルは、この戦略によって大きな成功を収めた。ノキアなどの競合企業は、はるかに多くの機種を製造しているため、各製品に開発・製造資源を分配しなければならない。これはコストを増やす。

差別化には、何らかのユニークさが必要だ。競合製品とは異なる、価値の高い特徴を持つ製品やサービスを生み出さなくてはならない。他社が真似をするのがほぼ不可能な何かを見つけだすことも重要だ。

課題は、想像力が求められる点だ。想像力を駆使して、製品の差別化のために何が可能であるかを考えなくてはならない。その時点では不可能と思えることの検討すらも求められる。実現させるには、創造性を引き出すためのさまざまな手法や、社外からの視点、幅広い専門的知識などが必要になるだろう。そして、顧客が金を払う価値があると認めるのはどのような差別化なのかを、想像できなければならない。

差別化を実行しても、追加のコストに見合うだけの魅力がないことに気づくかもしれない。製品に取り入れた新規性が、市場から評価されない場合もあるだろう。市場に不安を抱かせたり、ネガティブな印象を与えたりすることすらある。

顧客に上手く違いが理解されなければ、マーケティングによってそれを伝達する必要もあるだろう。そのためのコストも増えるし、成功するという確信がないなかで、時間をかけて取り組まなくてはならない。

会社の評判とブランドの認識も、差別化要因になり得る。それは、信頼や顧客サービスなど、シンプルな付加価値によっても実現できる。顧客ロイヤリティ向上のための取り組みや広告キャンペーンもすべて、差別化のための方法だと言える。

これらは有形無形の特徴の混合物だ。差別化に成功すれば、ブランドに良い印象を持ち、あなたの会社の製品を買うことに喜びを感じる顧客が、競合製品よりも優先的に製品を選んでくれるようになる。

［成功の基準］どうすれば競争で優位に立てるのかを把握する

まずは、競争で優位になる源を理解することだ。一般的な戦略をツールとして活用できれば、意思決定と効果的な戦略の策定に役立つ。これらのツールは、現在地を明確にするために、創造的に使うことができる。コストや差別化、集中への影響を探りながら、他のさまざまな戦略も検討してみよう。

戦略は、会社の全体的な意図を競争優位に変えるためのはっきりとした方法を示すものであるべきだ。業界ナンバーワンを目指すと宣言するだけではなく、それをコストや差別化、集中で具体的に説明しなければならない。

シナリオプランニングや戦略的ゲームを使って、ある強みを得ることがどのように競争優位の好循環をつくりだすかを明らかにすることも効果的だ。これは戦略の各段階で新たな可能性を探っていく、真の戦略的思考だ。

競争優位は、顧客に支払った額よりも多くの価値を与えることに、直接的に結びつくべきだ。競争が少ない領域や、差別化によって他社が簡単には追いつけない領域を見つけよう。長い時間をかけて、競争優位の好循環をしっかりと築き上げることを目指すのも大切だ。

チェックリスト

□コスト、差別化、集中の面で、どう他社と争っていくのかを明確にしている。
□これらの3つの、一般的な領域で競争するための新たな方法を見いだしている。
□競争優位の源を、どのように組み合わせることができるかを検討している。
□競争優位の好循環を確立し、他社が模倣するのが難しい新たな機会をつくりだそうとしている。
□強みを守る方法を明確にしている。

［落とし穴］競争優位は簡単には手に入らない

差別化を検討した領域で、すでに競合企業が効果的な差別化を実現しているかもしれない。差別化のコストがかかりすぎる場合や、顧客が差別化に感銘を受けない場合もあるだろう。出来事や状況、技術的な失敗や競合企業の進歩によって、コスト削減の取り組みの価値が低下するかもしれない。

たった1つの競争優位を、一度の試みで獲得しようとすべきではない。思うように物事が進まなくても、会社が大きなダメージを被《こうむ》らないように、状況に上手く適応できる柔軟性を持つべきだ。企業の多くは、競争優位をさまざまな手段で獲得できるようにするために、状況と上手く折り合いをつけたり、いくつもの〝プランB〟のシナリオを用意したりしている。

市場での最小コストや、最もユニークな製品やサービスを実現して初めて見返りが得られる投資を行うとき、戦略の実行能力はきわめて重要になる。

まとめ

◎市場に提供すべきものを熟考しよう。それが競争優位や、長期的に強みを維持できるものかなどを突き詰める。

◎競合企業の強みを分析しよう。コスト戦略はどのようなものか？　コストリーダーと思われる企業はあるか？　どのような差別化戦略がとられているか？　自社と拮抗《きっこう》しているか？　差別化に成功し、高価格でも勝負できる付加価値を実現している企業はあるか？

◎3つの一般的な領域（コスト、差別化、集中）で、どのように競争優位を実現できるかを、創造的に探ろう。どのようにコストを削減できるか。差別化を実現し、売上げを上げるために、どのような価値を提供できるか。

◎競争優位の好循環をつくりだすために、どのように強みを組み合わせればよいかを考えよう。増益のために、短期間でできることはあるか？　その利益を将来的な差別化のために投資できないか？
◎他の業界から学ぶ時間をつくろう。自社のビジネスモデルを根本的に変えられないだろうか？　前提を変えることで、持続可能な競争優位を実現できないだろうか？

［こんなアイデアも］小さな改善が、大きな勢いになっていく

ジム・コリンズは、著書『ビジョナリー・カンパニー2』（日経BP社）のなかで、小さな改善を続けることによって、「弾み車効果」がもたらされると主張している。それぞれの改善が次の改善への勢いを生み、全体的な強みに結実して、他社を凌《しの》ぐようになる。初めは大きくなくてもよい。強みを少しずつ増やしていくことに取り組むことで、強みへの理解も深まり、次第にそれらを組み合わせられるようになる。その強みはコア・コンピタンスになり、282ページで説明する価値連鎖として連動するようになる。構築に長い期間をかけているので、模倣することが難しいものになるからだ。

戦略

12

戦略的な意思決定と選択をする

会社は、いくつもの決定の積み重ねからなっている。市場を選択し、投入する製品を決定する。ビジネスは、行動の結果で成り立っているものだが、それらの行動には、最初に決定が伴う。

戦略とは、「何かを決めること」なのだ。

［使用すべきタイミング／頻度］
決定によって異なる。

［主な対象者］
まず、リーダー。

［重要度］
★★★★

現在のコカ・コーラは、過去のさまざまな決定によって形づくられてきた。19世紀、同社の創業者は、それまで販売していたワイン・コカが政府によって禁止されると、アルコール抜きの炭酸飲料水を開発することを決めた。それは多くの病気の治癒に効果のある、医薬品として売り出された。

1887年、創業者は同社の権利を、後にマーケティングの天才と呼ばれるエイサ・キャンドラーに売却することに決めた。1985年、同社は従来のコークの味やデザインを大きく変更した、新しいコークの販売を決定した。だがまったく人気が出ず、3カ月以内にオリジナルのコークに戻す。2009年、同社は健康飲料を含む多角化の方針を決定し、スムージーの製造業者イノセント社への投資を決めた。

2011年、コカ・コーラは、フェイスブックなどのソーシャルメディアのウェブサイトと連携した、仮想の自動販売機サービスの提供開始を決定した。顧客はこのコンテンツを独自にカスタマイズして、それをSNS上で共有できる。コカ・コーラの未来は、現在と過去の意思決定の積み重ねの上に成り立っているのだ。

［目標］適切な決定と選択で可能性を広げる

戦略は決定と行動の連続だ。決定には非公式のものも、公式のものもある。良い結果をもたらす決定もあれば、大失敗に終わる決定もある。可能性を広げる決定も、可能性を狭めてしまう決定もある。

決定できる範囲は、さまざまな要因によって制限される。戦略家は、こうした要因が決定にどのような影響を与えるかをよく考えるべきだ。「戦略は選択だ」と主張する人もいる。つまり、現時点で可能な選択肢のなかから、何を選ぶかが戦略だということだ。だが、戦略は、現在は不可能なことを将来的に可能にする力を秘めている。

［背景］決定一つが、会社の命運を左右する

コカ・コーラの例で見たように、すべてのビジネスは決定から始まる。企業の歴史は、大小さまざまな決定と、それを実行した大小さまざまな結果で構成されている。決定が賢く、役立つものであったかどうかは、決定の後でなければわからない。

戦略的意思決定とは、大きな視点で、全体像について考えることだ。ただし、大きな決定をしたつもりが結果に小さな影響しか与えないことや、小さな決定だと見なしていたものが大きな（または戦略的な）影響を与えることは珍しくない。同じく、緊急度が高いと思われた決定が、実際にはそれほど緊急を要するものではなかったことがわかる場合もある。

決定に与えるべき優先順位をよく検討することは重要だ。だが、この重要度は変化するものであることや、決定の種類の違いによって、戦略に及ぼされる影響が異なることも忘

れてはならない。決定が戦略的なものかどうかを考えることで、次の点を実現しやすくなる。

・具体的な目標を達成する。
・競合企業を戦略的に上回る。
・戦略パターンに沿った決定を下す。
・会社のポジションを修正する。
・将来的な会社のリスクを低減する。

特に、最後のポイントは重要だ。決定によって、会社の将来的なリスクは増減する。それだけに、戦略的に意思決定を下すことは重要だ。それは、最も重要な決定であり、最も戦略的なものでなくてはならない。不適切な決定によって社員が苦しんでいるなら、それを軽減するための決定をしなければならない。このような状況を放置すれば、必然的に無謀な賭けをしてしまうことになる（318ページ）。

［課題］あくまで客観的に、そして迅速に決定できるか

完璧な決定をすることは不可能だが、より良い決定を試みることには価値がある。重要

なのは、物事を適切なタイミングで実行できるように、遅れることなく決定し続けていくことだ。

意思決定を、完全に合理的かつ客観的に行うことはできない。必要な情報をすべて入手することはできないし、決定は主観的な判断に基づいて行わなくてはならない。予測不可能な要素も多い。

人は自分の主張を支持する事実だけに注目し、自分のポジションを脅かす事実は無視してしまうこともある。過去にどのような基準やプロセスに基づいて決定をしたかを十分に理解していないので、一貫性のない決定をしてしまうこともある。

誤った認識によって、実際にはありもしないパターンや因果関係があるという錯覚に陥りやすくもなる。楽観主義や悲観主義も意思決定に影響する。決定をする際には、次の点に留意しよう。

・対立する意見についても考慮したか？
・過去の実績や経験に基づいて決定をしようとしているか？
・どのような前提に基づいているか？　その妥当性を検証しているか？
・過去の失敗の原因は、運に恵まれなかったからか？　決定が良くなかったからか？
・楽観主義や悲観主義は決定にどう影響しているか？
・長期的、また短期的な視点の両方に基づいて決定をしているか？

もう1つの課題は、価値を損なわないために、決定を迅速に行うことだ。決定が完璧でなくても、行動を始めることが、何もしないよりもよい場合がある。あるいは、時間や資源を無駄にするくらいなら、決定をしないほうがよい場合もある。次の質問について考えてみよう。

・決定をしなかった場合に、何が起きるか？
・良くない決定をした場合に、何が起きるか？
・その決定は将来のチャンスを創出するか？　それとも、制限するか？

「どのように決定するか」を考えることは、より良い決定に役立つ。結果に柔軟に対処できるようになる。また、決定の前提を全員で共有しやすくなるので、変化にも迅速に適応できるようになる。

［成功の基準］決定の効果が最大になるタイミングがわかる

リーダーは、戦略的な意思決定をする必要がある。それはリーダーの重要な役割である。リーダーが決定をしなければ、社員はすべきことや、進むべき方向がわからず、混乱してしまう。社員が動かなくなったり、無駄で非生産的な行動に向かわせたりすることになってしまう。

戦略的な意思決定の能力が高まることで、戦略的な効果が高まる決定のタイミングを理解できる。決定の結果として生じた機会や脅威も認識できるようにもなる。決定を整理するための優先順位づけのシステムを、頭のなかに、そして書面として持てるようになる。

潜在的な偏りにも気づきやすくなる。決定が行われた理由について考え、異なる視点で決定を見ようとする。決定を、厳しい批判の目にさらしたり、前提を逆にしたりしてみる。決定が戦略上マイナスに作用していないかも考えるはずだ。

チェックリスト

□決定に関して、さまざまな種類の偏りがあることを自覚している。
□決定は、その緊急度と影響度に優先順位を付ける枠組みのなかで行われている。
□前提が絶対的なものと見なされておらず、社員はそれを支持することも、議論することも柔軟に行える。
□決定がもたらした結果に、柔軟に対処する方法が構築されている。
□決定が新たな可能性を開き、新たなチャンスを導いている。

［落とし穴］意思決定は、時間がかかるほど難しくなっていく

決定に時間をかけすぎると、ビジネスの速度が遅くなることがある。決定の内容を、考えすぎてしまうのだ。結果を心配したり、モデルやフレームワークをどう当てはめるかをあれこれ考えたりして、時間を浪費してしまう。

決定に多くの人々を関与させることは、その内容への関心を高める点からすれば良いことであり、さまざまなアイデアも得やすくなる。だが、なかなか決断できなくなってしまう場合もある。目的は、決定を止めることではなく、決定をスマートに行うことなのだ。

まとめ

◎意思決定ツールを使って、決定のさまざまな側面を見てみよう。
◎過去の決定を分析してみよう。それらの緊急度、重要性はどれくらいか？　何年も実行が遅れている決定はないか？　その理由は？
◎決定について、どのように知識を増やせるか？　経験から容易になる決定もある。
◎よく似た決定のパターンを探ろう。会社を危険な方向に導いていないか？　誰もが習慣から同じような考え方にとらわれていないか？　決定のロジックを逆

転させたら、何が起きるか？
◎決定には、社内の慣習や力関係が影響していること、混沌とした側面があることを認識しよう。感情的な理由で決定が行われたり、無視されたりすることは多い。

［こんなアイデアも］柔軟な意思決定の姿勢が、失敗のリカバリーを早くする

デイビッド・ヒクソンは、戦略的意思決定の「決定までに要した時間」と「実行までに要した時間」は、成功と直接的関係はないと主張する。また、ロンドン・ビジネススクールの教授、マルキデス・コンスタンチノスのように、ナンバー2であることが、ナンバー1であることより良い場合があると述べる人もいる。機が熟すのを待つことで、適切な決定を行えるチャンスが高まることもある。他者の決定から学ぶ時間も生まれる。

最も重要なのは、意思決定を、戦略的かつ柔軟な視点でとらえることだ。間違った決定をしてしまったときにも、正しい行動がとれるようになる（245、256ページ）。

戦略 13 競争環境に適応する

戦略では、競争が行われている状況にどれだけ上手く適応できるかが重要になる。たとえば競争が厳しくない市場でも、その市場が安定しているか、混沌としているかによってアプローチは変わる。

現状へのアプローチを固定してはいけない。それは、状況にフィットさせなければならないのだ。

［使用すべきタイミング／頻度］
継続的に。

［主な対象者］
全員。

［重要度］
★★★★

2002年、ウォルマートは世界最大の売上高を誇る企業になった。2010年の同社の売上高は4210億ドル(2位のエクソンよりも500億ドルも多い)。同社は現在、世界に1万7000以上の店舗を持つ。

ウォルマートを世界最大の企業に押し上げた原動力は、効率的なサプライチェーンを基盤にした、顧客への大きな価値提供だった。同社は本社による一元的な管理によって、迅速な事業展開を実現。ウォルマートはまず、アメリカ国内の競争環境に上手く適応することを重視した。国内なら、他社動向や顧客の好みをつかみやすいという利点がある。

ウォルマートの成長は、新たな課題をもたらした。同社は国内市場で、勢いのある新たな競合に直面している。成長の継続というプレッシャーのなか、同社は都市部での店舗展開など、それまでの成功法則が必ずしも機能しない、新たな市場に参入することになった。また、高級市場に進出する他社の動きにも対応しなければならなかった。同社は成長を続けるために、それまでの成長モデルの一部を変更し、本社主導ではなく現場の主体性を重視するアプローチを取り入れることで、柔軟に環境に対処するようになった。

[目標] 現在の市場を分析し、状況を把握する

市場の要求に適応するには、現在の競争環境を明確にすることが役立つ。マイケル・ポーターのファイブフォース分析(276ページ)は、既存の競合する企業、新規参入者、サ

プライヤー、バイヤー、代替の製品／サービスの明確化に役立つ。本書の戦略ツールの他のモデルも、市場のさまざまな側面を定義づける場合に効果的だ。次について考えてみよう。

・直面している競争の程度は？
・競争は激化しているか、鈍化しているか？
・他社の動向は、どの程度予測できるか？

次のステップは、あなたの組織のタイプを把握し、それが直面している競争上の課題にどのようにフィットしているかを考えることだ。一般に、競争環境が厳しいほど、組織には柔軟性が求められる。そのためには、多くの社員が意思決定に関わり、リーダーが形式にとらわれず、変化を受け入れる（むしろ歓迎する）企業文化をつくることが求められる。ただし、それですべて解決できるほど問題は単純ではない。

［背景］市場の性質によって、異なる2つのアプローチ

不確実性と競争が大きい競合環境では、組織を有機的なものにする、「有機化」のアプローチが効果的だ。その標準的な方法の1つは、分散化だ。本社ではなく、支社（あるい

は現場の最前線）での決定権の比重を高める。決定の手続きを、できるだけ簡略化する。社員は、組織内のポジションではなく、自らの知識や経験を重視して判断を行う。

一方、不確定要素と競争が少ない市場では、逆に組織を「機械化」するアプローチが有効だ。このための標準的な方法の一つは、集中化だ。決定権を、現場ではなく本社（あるいはＣＥＯ）に集中させる。決定の手続きも、正式なものを重視する。社員の貢献や行動をコントロールするために、組織階層、形式、標準、プロセスを導入する。

どちらのアプローチも、さまざまなレベルの不確実性や競争に対処する方法を探るうえで役立つ。次の点について考えてみよう。

・会社の組織はどのようなタイプか？
・どのようなタイプの競争環境に直面しているか？
・会社はその環境にフィットしているか？
・明らかに環境にそぐわないと思われる点はあるか？
・上手く市場に適応するためには何をすべきか？

実際には、あるタイプの組織が、あるタイプの環境に簡単にフィットするということはまずない。組織面でも環境面でも考慮すべき条件が多くあり、それらを上手く組み合わせて成功を導くのは簡単ではない。

［課題］原価、需要、市場……多角的な分析が必須

標準的な方法で、競争優位を確立するのは簡単ではない。誰もが同じ方法を使えば、差別化要因が減り、結果として競争を激化させてしまうことにもなる。

実際には、誰もがまったく同じ方法に従うことは同じく不可能だ。そのため、競合各社の「有機化」と「機械化」には違いが生じる。そこで、この違いを理解し、そこからチャンスを見つけていくことが重要になる。

理想としては、競争環境について、競合の状況や不確実性の度合い以上のものを知るべきだ。市場の仕組みや構成、リズムや特徴などだ。次の点について考えてみよう。

・市場から独立したものとして見た場合、会社の現状はどうか？　パフォーマンスは高まっているか、落ちているか？　一貫した傾向や変化はあるか？

・市場環境の要素で、会社がコントロールできないのはどのようなものか？　製品の需要がない場合、別の製品をつくり始めるか、市場を変えなくてはならない。世界的な不況に直面していれば、そのなかで会社が生き残る方法を探るべきだが、不景気そのものを変えることはできない。

・会社の現在の業績はどのように説明できるだろうか？　ライバル社と比較した場合はど

うか？　コストはどれくらいか？　顧客が求めているものは？　他社は何をしているか？　業界の傾向は何か？　会社の強みと弱みは何か？（274ページ）。

原価分析は、会社（と業界）内のコストの仕組みの理解に役立つ。原価分析では、ミクロ経済学のノウハウを使って、いくつかの質問に答えていく。次の点について、他社との比較の観点から考えてみよう。

・コスト／価格／投資収益率は高いか、低いか？
・もっと効果的な資金の使い方はないか？
・価格の変更や利益率の向上の妨げになる固定費はあるか？
・変動費の割合はどうか？
・短／長期的に、コスト構造はどのように変更できるか？
・それ以上投資をしても生産性が増加しない、「収穫逓減《ていげん》」に達する地点はどこか？
・「規模の経済」と「範囲の経済」による効率化からメリットを得るために、さらにどれくらいの投資が可能か？

需要分析は、価格と価値に関連する顧客行動の理解に役立つ。この分析でも、ミクロ経済学のノウハウを使って、いくつかの質問に答えていく。

・価格が上昇、または下降したとき、需要はどう増減するか？
・需要の弾力性を会社に有利な方向に変化させるためには、何が必要か？

通常、価格が高くなると、その製品を購入する顧客の数は減る。しかし、現実はさらに複雑だ。製品によって、需要弾力性（価格によって需要が変化する度合い）は違う。たとえば原油の価格は、供給の動向によって、需要の増減にかかわらず業界レベルで変動する。しかし企業レベルでは、提供物が競合企業とまったく同じであれば、価格の違いが大きな意味を持つ。ここでは、差別化戦略によって、収入を失わずに、価格を高く保てるようにすることが、きわめて重要になる。

経済学では、ある製品にとって可能な設定価格が1つしかない理論的状況のことを「完全競争」と呼ぶ。この状況が成立するためには、すべての企業と消費者が、商品の価値や販売場所、販売方法などを知っているという、「完全な情報」が必要になる。しかし現在では、インターネット上での競争と情報の透過性の高まりにより、企業が同じ製品に対して複数の価格を設定することは難しくなっている。

市場分析は、企業が直面する競争形態の理解に役立つ。この分析は、価値ある問いを投げかけてくれる。

・何社の企業が、市場で競争しているか？
・市場はどのような構造をしているか？
・製品とサービスにはどれぐらいの違いがあるか？

多くの企業による完全競争に直面し、差別化のチャンスがない場合もあるだろう。しかし、ほとんどの場合、多くの企業が市場にいても、差別化の方法は見いだせる。つまり会社が直面しているのは「不完全競争」の状態だ。また、競合する企業の数が少なく、差別化の要素も少ない、寡占状態に対処しなければならない場合もある。差別化に成功することで競合企業に差をつけ、市場で優位な立場を得ている場合もあるだろう。

［成功の基準］戦略の意図を効果的に実現できる

市場と競争環境の特性の理解を深めよう。競争の度合い、競合企業の数、競争の安定度、イノベーションの可能性などを理解しよう。

特定の製品に関する、需要の特徴についても理解しておこう。価格を引き上げるか、引き下げるかした場合に、何が起こり得るかについて考えることも必要だ。利益を減らさずに価格を変えられるように、会社の原価の特徴を変えるために何ができるかも理解すべきだ。コストリーダーシップ（278ページ）のポジションを目指すことも検討しよう。実現すれば、さまざまな戦略的手段を打てるようになる。

これらの分析の目的は、戦略が持つ意図の効果的な達成方法を見つけだすことだ。あるいは、目標の実現を目指すための、戦略の意図そのものを見いだすことでもある。重要なのは、製品の差別化を実現するか、差別化ができない場合でも会社を有利なポジションに導くようにすることだ。

また、競争環境と戦略的意図に会社がどれくらいフィットしているかについても考えよう。迅速に行動すべき状況にありながら、後れを取っていないか？　安定が求められる状況で、混沌とした事態を招くような振る舞いをしていないか？

チェックリスト

□チームは、直面している競争のダイナミクスの基本を把握している。
□会社は、組織形態に「有機化」または「機械化」の選択肢があることを理解している。
□需要、市場、コストの分析によって、多くの戦略的な選択肢がある。
□成長につながる差別化を実現するために、戦略モデルとビジネスモデルの構築方法を積極的に模索している。

［落とし穴］「分析まひ」で複雑に考えすぎることも

詳細な分析をせずも、成功することは可能だ。また、「分析まひ」による情報過多が、効果的な行動の妨げになってしまう場合もある。戦略とは、単に経済のモデルやノウハウを理解することではなく、未来を具体化することだ。経済モデルの迷路に迷い込んだり、経済モデルの専門用語によって複雑に考えすぎたりしないようにしなければならない。

まとめ

◎組織の方針や構造、リーダーのアプローチ、企業文化について議論しよう。これらが、戦略上の課題に適しているか、役に立つものかどうかを考える。組織を有機化しても、機械化しても、それだけでは成功を保証するものにはならない。上手く機能する組織と、機能しない組織があるだけである。

◎ミクロ経済学の概念や技法の活用法を探ろう。ただし、細かな分析に没頭してしまわないように気をつける。ビジネスの豊富な経験によって、コストや需要のダイナミクスは理解しやすくなる。分析と経験を活用して前提条件を疑い、知識不足によるミスを避けよう。

◎市場の常識を鵜呑みにしないようにしよう。どのような状況でも、ビジネスやモデルを変えることで、チャンスは見いだせる。製品を新市場や顧客に売ることもできるし、販売方法の変更もできる。既存の資源を使って、まったく別のことも実現可能だ。

◎ライバル社や新規参入企業が、既存市場のダイナミクスに変化をもたらした場合に、何が起きるかについて考えよう。自社は、その状況にどう適応すれば、生き残ることができるだろうか？　その際に役立つもの、デメリットになるものは何だろうか？

◎本書で紹介する戦略ツールや原則を活用して、ニッチな市場や競争力のあるアプローチを見つけ、製品や価格、ポジション、プロットの独自の組み合わせを探ろう。それによって、既存のルールを会社に有利なものに変えていこう。広告や効率化、デザイン、顧客体験などさまざまな要素が、市場の需要への適応に役立つ。

「こんなアイデアも」不確実性が高いほど、組織は「有機的」になる

「有機的」「機械的」という組織の概念を考え出したのは、元エディンバラ大学教授、トム・

バーンズとジョージ・ストーカーである。２人は著書「The Management of Innovation」のなかで、戦略は状況に応じて選択すべきものだと主張している。彼らによれば、不確実性のレベルが高いとき、有機的な組織に移行すると効果的である。この主張は、良い戦略を実現するうえで有益なものである。ただし、本書で後述するように、市場のなかで違いを見いだす方法は他にもある。

第4部
戦略で勝つ

戦略が目指すものは、望むべき場所への到達である。少なくとも、現在の居場所で最大限のパフォーマンスをあげることである。それが、戦略で勝つということだ。ただし、勝つためにあらゆる犠牲を払う必要はないし、一人の勝者と多くの敗者しかいないゼロサムゲームに加わる必要もない。

戦略で勝つことは、直接的な競争を意味する場合もあるし、資源とツールを活用して競合企業の先を行くことを意味する場合もある。競合企業に打ち勝つために、あらゆる手段をとることだと考える企業もあるだろう。しかし、相手を叩きつぶそうとするような攻撃的な態度をとらなくても、戦略で勝つことはできる。価値を創出することでも、競争に勝てるのだ。

戦略家は、既存市場の頂点に立とうとするだけでなく、新しい市場をつくることも目指せる。道徳的な戦略家は、非倫理的な方法をとらなくてもいい。心ある戦略家は、地域社会や弱者の役に立つ方法で、勝利を目指すことができる。創造的な戦略家は、芸術家やエンジニアの力を組み合わせて、人々の暮らしを豊かにするような美しいものをつくりあげることができる。

戦略は、MBAホルダーや経営コンサルタントだけのものではない。戦略とは、さまざまな方法で現実を理解し、未来を具体化することだ。戦略によって、最も得意なことを明確にし、変化の激しい世界のなかで、会社がまだ実現していない何かを見いだすことができる。

優れてはいても、それを実現する方法がわからなかったために、日の目を見なかったアイデアはたくさんある。戦略の用語を理解することで、必要な資金や資源を得やすくなる。

本書の第6部の戦略ツールキットを活用しよう。組織のさまざまな部分を、どう価値連鎖に組み込むかを探ることができる。戦略モデルで用いられる言葉を好まない人もいるが、これは現実世界を単純化するための強力な手段になる。各社員や各部門の効率は、会社が世の中に提供している全体的な価値の増減に大きく作用する。

他の支社や部門の人々との連携も重要だ。それぞれが最も得意としているもの(コア・コンピテンシー)を組み合わせ、最大限の力を発揮できるための方法を探ろう。社会にさらに大きな価値を提供できるように、組織を成長させる方法を検討しよう。世界を変えたいとき、そのための最短距離を生み出すツールは、戦略だ。

戦略

14

戦略ゲームに勝つ

戦略が、競争そのものを意味することがある。それは戦略というゲームをするための唯一の方法ではないが、一つの選択肢であることは間違いない。競合に勝つために、さまざまな既存の戦略を選ぶこともできる。また、成長とメリットをもたらす好循環を構築することも、大きな価値がある。

［使用すべきタイミング／頻度］

定期的に、
さまざまな戦略ゲームを検討する。

［主な対象者］

自分とチーム。

［重要度］

★★★★

ＩＢＭのＣＥＯ、サム・パルミサーノは、調査によって、「はっきりと目に見える、当たり前のこと」以上の〝何か〟を見つける調査が可能だと信じている。彼は、まだ確証を得ていない洞察を大胆に使って、戦略的イニシアティブをとり始めた。パルミサーノは、「市場調査は退屈だ」と述べている。「過去のみに基づく未来予測をする限り、真に重要なことは得られない」と考えているからだ。

パルミサーノは、他社が二の足を踏んでいた新エリアに参入した。その1つが、ＩＢＭが持つコンピューターの専門性を活かした、輸送システムや都市計画などにおける複雑な問題の解決に取り組む、「スマートシティ」と呼ばれるプロジェクトだ。また、グローバル経済のリバランスやクラウドコンピューティング、モバイルコンピューティングなどを含む、現代のカギとなる潮流を特定し、それらのエリアで法人顧客をサポートするという新機軸を打ち出した。

この戦略的意思決定は直接的な競争を避け、確固とした強みを築いた。たとえば、社会的な問題をＩＴで解決するＩＢＭの取り組みは、他社が簡単には真似できないものとなった。同社はゲームのルールを書き換え、有利な立場で争える状況をつくりだしたのだ。

［目標］自社にユニークさをプラスする

競争優位を語ることは簡単だ。しかし企業にとって、市場での最小コストやユニークな製品機能の実現は簡単なことではない。

多大な労力を投じて競争優位を獲得したとしても、それを維持することが困難な場合もある。競合企業は、生産性を改善し、安い労働力を見つけ、小さい利幅を受け入れることで、価格を下げるかもしれない。あるいは、ユニークな製品機能を真似されてしまうかもしれない。

・一時的な強みを、継続的な強みに変えるにはどうすれば良いか？
・他社に差をつけるために、何をすれば良いか？
・成長と強みの好循環は、どのようにして確立できるか？

戦略家として考えねばならない（第2部）のは、競合企業が理解することも、真似をすることもできない方法で、一連の行動を結びつけることだ。良い行動は、次の行動をとるために有利なポジションを導く。多くの資源が使えるようになり、さらなる改善と、競合が簡単には追いつけない強みを実現しやすくなる。

これは法律を犯すことや、非倫理的な行動をとること、あるいは過度に貪欲になることではない。それは、〝点を結ぶこと〟を意味する。顧客に提供している基本的な強みと価値を、より深いものにすることだ。これは顧客にメリットをもたらす。そして、一時的ではない、確固とした強みを築くことで初めて達成できるものである。

［背景］「独自路線」にも基本的戦略が重要

それぞれの会社が用いる戦略の組み合わせは、ユニークなものであるべきだ。だが、その考え方の基本となる、いくつかの典型的な戦略がある。

たとえば、集中によって他社を圧倒することも1つの方法だ。組織的で、集中した方法で、ある領域に効果的にエネルギーを投じることで、競合企業は迅速にはそれに反応できなくなる。

競合企業が理解できない、あるいは模倣しようと思わない例外的な手法を利用する方法もある。非顧客層に注目することで例外を見いだすことも、1つのアプローチだ（324ページ）。現場を観察し、洞察や問題点、矛盾を探すアプローチもある（326ページ）。

競合企業の利益を脅かすのも、他の企業を意気消沈させキャッシュ・ポジションを弱める方法ではある。だが、それは自社の体力も弱らせるネガティブなゲームであり、ここにはまり込むべきではない。たしかにそれは、競合企業を市場から退場させ、ライバルの数を減らすことのできるアプローチだ。だが、もっとポジティブなアプローチがある。

その1つが、既存のものを改善し、独自の価値を生み出すことだ。他社の模倣から始めたとしても、創造性を駆使して、既存の概念を超えたものをつくりだす。それはウォルマートがKマートにしたことであり、ターゲットがウォルマートにしたことである。アップルもｉＰａｄによってマイクロソフトにこれを実行した。

妥協的な考えを打ち破ることも、例外を活用し、独自の価値を生み出すことにつながる。誰もが守っているルールを、顧客に新たな価値を生み出す形で破ることができれば、確固とした強みを構築するための大きな一歩になる。フォー・シーズンズ・ホテルは、宿泊客に無料のアメニティグッズを提供することで、永続的な成功の基盤を築いた。他のホテルはこのようなサービスを提供していなかったし、それによって顧客サービスに優れたホテルという評判も獲得できたからだ。

［課題］獲得した強みが、可能性を広げるものかどうか

前述したハードな戦略を実行するのは、自社にとっても競合企業にとっても簡単ではない。他社を圧倒できるレベルの組織をつくりあげるのは、一筋縄ではいかない。適切なタイミングを見て、勝機を計算したうえで、リスクをとらなければならない。

また、競合企業の利益を脅かそうとすることにも代償が伴う。それは自社の利益を守るために、ライバルを市場から追い出すという考えに基づいている。競合企業がその市場セグメントに魅力を感じないようにすることでもある。

例外を活用すること、独自の価値をつくること、常識を打ち破ることを実現するには、ユニークな洞察力が欠かせない。これは創造力と専門知識の組み合わせから生まれる。そ

のためには、時間とお金をかけなくてはならない。予想が外れて簡単に他社に真似されたり、想像以上に価値のある需要をつくれなかったりすることもあるだろう。

チームで本書の戦略ツールを使い、現在地からどのように競争優位に到達できるか、さまざまなシナリオを描こう。各段階で獲得した強みが、次の段階の可能性を開くような形のシナリオをつくってみよう。

［成功の基準］戦略を「ゲーム」と見なせる

さまざまな戦略ゲームについて、自信を持って話せるようになることが重要だ。戦略ツールによって、競合企業が入り込むことが難しい機会を見いだせるようになる。

ハードな戦略のリスクを認識し、その反応について考えるようになる。メリットに対する脅威にどう対処するか？　自社を圧倒しようとする競合企業の試みにどう反応できるか？　戦略ゲームでのライバルになりそうな企業はどこか？　魅力を感じないために、参入をためらっているエリアはどこか？

チームは、戦略を「考えること」「計画すること」だけでなく、「プレーすること」だと見なすようになる。考え、計画したことを無駄にせず、最大活用できるゲームをプレーするようになる。

チェックリスト

□個々のゲームが、全体的な戦略との関係のなかで理解されている。
□チームが戦略ゲームを理解し、その一環としてシナリオをプレーしている。
□ネガティブなゲームにできるだけ関わらないようにし、競合企業からの攻撃に備える準備をするために知識を活用している。
□競争優位が長期的な視点で構築されている。

［落とし穴］ 他社を蹴落とす戦略は、評判を低下させる

戦略が、他社にダメージを与えるためだけに使われることがある。このようなネガティブな戦略は、市場全体の収益を減らし、負のスパイラルを引き起こしかねない。ネガティブな戦略に過度に依存すると、イノベーションを通じた製品／サービスの改善に十分な時間をかけられなくなる。また、ブランドの評判が低下し、政府に目を付けられるというリスクも生じやすくなる。

まとめ

◎競争優位を活用して、有利なポジションをさらに強固なものにする方法を探っていこう。

◎競合企業を不利にし、自社の製品やサービスの改善、あるいは人材や資源への投資ができる時間が得られるような行動を検討しよう。

◎戦略を、独立した計画ではなく、一連の行動の組み合わせだと見なそう。

◎長期的な強み（顧客への貢献）の確立に必要な創造性への集中とコミットメントを高めるため、チームによる戦略的なキャンペーンを展開しよう。

◎ネガティブな競争戦略に依存しないようにしよう。そのような競争戦略の目的は、あくまでもポジティブな戦略を守るためのものであるべきだ。

◎競合企業に同じような戦略ゲームを仕掛けられた場合、どう対処すべきかを検討しよう。意識を高めておくことで、罠や行き詰まりを避けられる。

［こんなアイデアも］強みは一時的でなく、継続的に変える力

ボストン・コンサルティングのジョージ・ストークらは、著書『「徹底力」を呼び覚ませ！』（ランダムハウス講談社）のなかで、競争優位を得ても、その持続期間が短ければ十分ではないと主張している。重要なのは、一時的な強みを、継続的な強みに変えられる能力を高めることだ。これは、長期的に、ブルーオーシャン戦略（296ページ）から資源ベースの強み（284ページ）に移行することを意味する。

戦略 15 新たな市場をつくる

競合企業とまったく同じ市場で競争する必要はない。想像力と努力によって、競合の少ない新市場をつくることは可能だ。
既存製品を従来とは違う顧客に販売することも、既存顧客向けに新製品を開発することも、新たな顧客向けに新製品を開発することもできる。

［使用すべきタイミング／頻度］
少なくとも年に１回、
入念に検討する。

［主な対象者］
チーム。

［重要度］
★★★

ジップカーは、カーシェアリング・サービスを提供している企業だ。ユーザーは、自動車を保有することで生じる煩《わずら》わしさもなく、必要なときに車を使える。

これは従来型のレンタカーサービスとは異なる。ごくわずかな時間でも、車を使えるからだ。ユーザーは自動車を保有していないので、税金や保険、保守、減価償却などの手間から解放される。

同社はこの戦略によって、成長と高利益が期待できる、低競争市場をつくったのだ。

[目標] 価格競争でなく、新市場の創出を

価格で競争することはリスクを伴う。最低コストのプロバイダーになることに成功したとしても、結果として市場全体の規模と利幅を減らしてしまうことになる場合もある。

競争をするうえで最も魅力的な（だが難しい）方法は、新市場をつくることだ。これは、既存製品をニッチな市場に集中させることや、新市場を創出するほど独創的な製品をつくることで実現できる。

[背景] 経験と規模を動員すれば、市場は独占できる

同一の製品で、大きな利益を生み出すことは可能だ。たとえば必需品のなかには、原材

料の供給量が限定されていて、加工されていない状態であっても価値があるもの（石油など）もある。しかし加工後の段階では、製品／サービスが同一である場合に、大きな利益を生み出すことは難しくなる。

たとえば、すべての企業がすべての顧客に同一のサービスや製品を供給している場合、企業は価格競争を挑まなくてはならず、市場全体の収益の低下を導いてしまう。また、顧客は、自分たちの細かなニーズに合わせて開発された製品やサービスではなく、万人向けに提供されたものを受け入れなければならない。

経験という強みを持つ企業は、いち早く市場に参入することでメリットを得やすくなる。企業規模という強みを持つ企業は、積極的な成長戦略をとることでメリットを獲得しやすくなる。経験と企業規模を活用して特殊化に成功すれば、市場を独占するだけの力を得ることも可能だ。

・新市場を創出するために、何に特化すべきか？
・既存市場を守るうえで、経験と企業規模はどのような利点になるか？

競争があることで得られるメリットもある。競合企業の存在は、新たな市場をつくるのに役立つことがあるのだ。複数の企業が新市場に向けた新たな製品やサービスを開発することで、潜在的な顧客にそのメリットを伝えやすくなる。競合企業のアイデアやミスから学ぶこともできる。競合企業と取引をしているサプライヤーから、必要な製品やサービスが得られる場合もあるだろう。

もちろん、戦略的な視点から他の企業を注意深く観察する必要もある。重要なのは、競合企業が前提としている考えを理解し、自社の戦略的な動きに対して、どのように動くか、あるいは動かないかを予測することだ。競合企業にすぐには真似できないと思わせる手を打つことが効果的だ。

従来の競合企業の反応を遅くするために、あまり宣伝をしないで、既存顧客向けに新たな商品やサービスを提供するという方法もある。また、その既存顧客を通じて新たな顧客層にまで広めるという方法もある。通常ならあまり関わりのない企業がどう反応するかをよく観察しておくべきだ。顧客がある対象に使える金には限りがある。普段はあまり関わりのない企業からの反応が大きければ、それらの企業から顧客を奪っていると考えられる。

市場を支配する企業は、新市場で新たなイノベーターが頭角を現すのを阻止するために莫大な費用を投じる。P&Gが漂白剤の新製品「ビブラント」を試験的に市場へ投入したとき、最大のライバルであるクロロックスは、対象地域の全世帯に漂白剤を無料で配った。ネットスケープが新たなブラウザをリリースしたときも、ライバル最大手のマイクロソフトは世界中のユーザーに無料で自社のブラウザを提供した。

新たな競合企業について考えるのは、競合企業の行動を予測するための戦略をつくるためだ。支配的なプレーヤーにとって魅力的ではない価格帯で製品を提供するなら、それらのプレーヤーが同じ価格帯で対抗してくる可能性は低い。革新的な製品やサービスを提供すれば、価格帯はあまり問題ではなくなり、競合企業が対抗手段をとるまでの時間も長くかかる。

これを実現する良い方法の1つに、既存製品の機能の単純化がある。競合企業が、機能を減らすことでなぜ製品に魅力が生まれたのかを理解しようとして混乱する場合がある。この種の戦略的思考は、それまでの競争のゲームを超えたところに、革新的な製品を創出することを可能にする。

［課題］他社に「真似できる」と思わせてはいけない

あなたは、既存の市場のなかから、新市場や新たな空間をつくりだす方法を探しているだろう。既存製品／サービス向けの大きな需要をつくる、あるいは既存の顧客に向けて新たなタイプの製品やサービスをつくりだす、革新的な方法を見いだそうとしているかもしれない。

簡単に言うと、これは大きな強みによる差別化か、小さな強みの組み合わせで実現できる場合がある。ある顧客層向けに、際立って良い製品を初めて売り出すことに成功し、その強みを法律（または機密）によって守ることができた場合、その利点は大きくなる。だが、このような強みを見いだし、維持するのは簡単ではない。特に、法律上、技術上の課題に直面することで、この強みを維持できるのが一時的になってしまうケースも多い。

製薬会社は従来、この種（大ヒット商品型）の競争優位に依存していた。しかし現在では、それは難しくなった。技術系の企業も特許による知的財産の保護を重視し、互いに訴訟を起こしている。

アップル、マイクロソフト、フェイスブック、アマゾン、ノキアは頻繁に法廷で争っている。

こうした法的行為によって、企業は時間稼ぎが可能になる。アップルは法的手段によってｉＰｏｄのクリックホイールなど、機能の一部を保護できた。法的な保護がなければ、競合企業によってｉＰｏｄのさまざまな機能が模倣されていたはずだ。アマゾンのワンクリックでの購入機能や、フェイスブックのニュースフィード機能にも当てはまる。

ただし、ほとんどの競争優位は、他の企業がさまざまな理由で模倣できないか、単に模倣するための十分な時間がないものである。こうした多くの競争優位を組み合わせ、競合企業に差をつけることで、新市場やニッチをつくることは可能である。

［成功の基準］既存製品の新しい魅力を見つけられる

第一歩は、新市場（セグメントやニッチ）を創出するための競争優位を見いだすことだ。既存のサプライヤーが気づいていない、非顧客に注目することも効果的だ。

・既存製品は、なぜ非顧客にとって魅力がないのか？
・新製品／サービスの人気を高めるために、どのようなデザインにすればよいか？
・既存製品の前提は覆せるか？　非顧客にとって価値を生むために修正可能か？

また、新たな視点で既存顧客を見ることもできる。

・既存顧客に、より良いサービスを提供するにはどうすればよいか？
・既存顧客に異なるサービスを提供できるか？

ジーンズなどの衣類を販売するリーバイスを例にとって考えてみよう。同社は以前、広告で築き上げたブランドイメージという大きな競争優位を維持しようとして、スーパーマーケットでの販売に躊躇《ちゅうちょ》していた。現在では、新市場をつくるために、新たな方法で顧客にサービスを提供することに、その創造的な取り組みを集中させている。たとえば、同社はさまざまな体形に合うジーンズの調査・開発に投資をした。顧客は自分の身体にフィットするジーンズを手に入れられるようになり、このブランドは競争優位を実現した。

まだリーバイスは、あらゆる活動に適したデニムウエアを供給するために、顧客層の多様なライフスタイルを専門家とともに調査した。その結果、サイクリスト向けにデザインされたジーンズやジャケットなどを開発した。この集中とディテールへの注目で、同社は他社が気づかなかったさまざまな強みを獲得し、新市場の創出に成功した。

リーバイスの競争優位の土台は、同社のコア・コンピテンシーをほんの少しだけずらしたことで獲得されたものだ。同社にはもともと、デニム製品の大量生産と流通、小売りの豊富なノウハウがあった。リーバイスは主な顧客層以外に目を向け、その細かなニーズに集中を合わせることで、そのコア・コンピテンシーと中核市場を拡張したのだ。

まずは、中核顧客の価格帯の上下に位置する顧客層向けに製品を提供することで、成長を目指す方法を検討してみよう。低価格製品と高級品の顧客（自社の既存の顧客層と比較して）の獲得は、検討してみる価値がある。

これは、たとえばフォルクスワーゲンが、主な顧客にはシュコダを、価格重視の顧客向けにはセアトを、富裕層向けにはランボルギーニとベントレーを提供している理由と同じだ。ただし同社が新市場創出という戦略を実現するために、価格や性能、顧客体験、デザイン、広告、伝統などを効果的に組み合わせていることも忘れてはならない。

チェックリスト

□非顧客が既存製品を買わない理由を理解している。
□非顧客に価値を提供する新たな方法を確立している。

□既存顧客へのサービスが不十分だと思われる点を発見している。
□細かなニーズに向けた製品／サービスを提供する新たな方法を構築している。
□新市場とニッチを創出するために、集中と差別化の戦略を組み合わせることができる。

［落とし穴］単なる新機能は、顧客離れを招く

新市場と新機能は、混同してしまいがちだ。つまり、実際には新たな価値を創出することなく、単に新たな顧客層向けに製品に新機能を追加しているだけだ。その結果、製品やサービスの提供コストは増え、顧客からもむしろ価値が低下したと見なされることもある。

ステレオタイプ的な顧客セグメントの理解に基づいた新機能の開発はリスクを高める。また、新機能の提供に必要な新たな技能や資源を過小評価してしまうことも陥りやすい過ちだ。十分に理解していない顧客層向けに製品やサービスを提供しようとするときは、新たな市場ではなく、むしろ金を失う新たな方法をつくる可能性が高いことを理解すべきだ。

まとめ

◎価格と性能の面から、現在の中核市場を分析しよう。
◎富裕層や低価格志向の顧客向けに改良した製品／サービスの提供で、どのように新市場を創出できるかを考えよう。
◎製品を非顧客にも使ってもらえる方法を考えよう。非顧客とは、コアとなる顧客と同程度の資産を持ちながら、価格や性能面以外の理由で、あなたの会社の製品を使用していない顧客のこと。その理由を探ることが、新市場をつくる大きな一歩だ。
◎製品を多種多様に変更しよう。サイズの大小を過度に変えてみるなど、極端なバージョンを試作し、色や素材を変え、デザインに従来にない特徴を加える。こうした試行錯誤から、より大きな市場をつくりだせるかもしれない。
◎会社の製品／サービスを使っている顧客を観察し、製品の想定外な使用例を探そう。潤滑油メーカーのWD40は、製品の新使用法を募集し、投稿された方法を宣伝に使うことで、製品を改良せずに斬新な使い方をアピールした。
◎市場における価格と性能のトレードオフを分析し、それを超える方法を探ろう。たとえば高性能製品の低価格販売、あるいは際立った性能を持つ製品を、きわめて高価格で販売する方法などを検討しよう。
◎競争の前提を柔軟な視点でとらえよう。既存の前提を、変化のない差別化要因だと考えている場合もあるが、それに固執すると常に同じ古い方法で競争をしなければならず、行き詰まることも。業界外に目を向け、創造的な発想で製品を多角的に眺めよう。

［こんなアイデアも］他社と比べる経済学の「価値」概念

新市場は、経済学の価値の概念を使って創出することができる。製品の価値を高めることで、顧客は支払った金額に対して、競合企業と比べて多くの価値を感じるだろう。そのため、競合企業からではなく、あなたの会社から製品を買うようになる。戦略の役割は、利益と顧客価値を最大にする方法を見いだすことだ。

戦略

16 戦略グループに差をつける

良い戦略は、それぞれの行動が、自己強化の働きをする。1つの行動が、さらなる選択肢とメリットにつながり、それらが相乗効果をもたらしていく。勝利は、今日だけでなく、明日の勝利でもなくてはならない。

計画の各部分が、どのように将来の成功の土台になるか、戦略的な視点で軌道を予測しよう。それは創造性と、将来を見越した戦略のテストになる。

［使用すべきタイミング／頻度］
年4回。

［主な対象者］
自分と上司。

［重要度］
★★★★

アマゾンは、オンライン書店としてビジネスを始めた。主な競合企業は、従来の店舗型書店だった。そこでは従来の顧客が、製本された本を買っていた。やがて、他のオンライン書店も競合企業としてアマゾンの前に立ちはだかってきた。アマゾンがとった戦略は、サービスに集中することだった。つまり、他の書店よりもよく顧客を知り、良いサービスをすることだ。

アマゾンは「顧客にとって役立つものかどうか」という基準に従い、何をすべきか、何を止めるべきかを判断し、サービスの質を高めていった。同社は高質なサービス提供能力を土台にして新市場に参入し、新サービスを開始した。最近では電子書籍リーダーのキンドルを発売し、市場の約75%を獲得している。アマゾンはこの戦略に従い、類似サービスを提供する企業（lovefilm.com、audible.com、zappos.com など）を次々に買収した。小売業史上、これほどの急成長と革新的なイノベーションを実現した企業は他に類を見ない。

［目標］自社と似た「戦略グループ」を把握する

競合企業を上回ることは、企業戦略の一部だ。そのためにはまず、自社と似た企業がどこかを知らなければならない。それはさまざまな特徴の組み合わせによって判断できる。地理的な条件が似ている企業もあるだろう。事業の規模や収益が似ている企業もある。製品やサービス、顧客層が似ている企業もある。これらの企業を、「戦略グループ」と呼ぶ。

戦略グループとは、必ずしも直接的に競争していなくてもよい。それでも、相手があなたの会社との直接的な競争を望んでいるかもしれないし、たとえそれを特に望んでいなくても、状況的に見てこちらから競争を仕掛けるほうが効果的だと思われる場合もあるだろう。戦略グループについて、次の点を考えてみよう。

・各競合企業はどれくらいの市場シェアを持っているか？
・差別化要因（品質、価格、その他）は何か？
・利益率と収入にはどのような違いがあるか？
・最も速く成長している企業、また、最も長く市場に留まっている企業はどこか？
・各競合企業の強みと弱みは何か？
・イノベーションはどの競合企業から生まれているか？
・競争優位の基準となっているものは何か？

まずは戦略グループのメンバー間に、価格、集中、差別化の面で競争があるかを探り（276、278ページ）、それらの強みの源が何かを考えよう。「競合企業は、どのような点で最もよく知られているか？」「これらの企業は何を販売しているか？」などだ。

戦略グループを理解することは、自社の可能性を知ることにも役立つ。競合の製品を模倣できるか、上回る何かを提供できるか、差別化を実現できるかについて具体的に考えられるようになる。重要な共通点や相違点に気づきやすくなる。相手を知ることが、自らの行動と戦略の形成に役立つのだ。

戦略グループの周辺に位置する競合企業にも注目しよう。現在の競争環境を変えてしまうような新製品や新規参入者がいないか監視する。また、現状が、自社にとって有利なものかどうかを考えよう。戦略グループ内で弱いポジションにいる場合、現状を変化させるための行動をとることが効果的かもしれない。強いポジションを得ているのなら、その立場を強化したり、ライバルが勢力を伸ばすのを阻止するための良いタイミングだと言える。

［背景］戦略グループからの学びも、イノベーションにつながる

戦略を戦略グループに限定して考える必要はない。だが、これを理解しておくことは有用だ。多くのビジネスの原点は、戦略グループへの対抗である。戦略グループのルールを学び、模倣することや、既存のギャップ・弱点の克服を目指して始まるビジネスもある。

戦略グループを理解する方法の1つは、いくつかの競争要因を基準にして、グループを図表化することだ。この戦略マップは、グループのメンバーのポジションを明確にする。

戦略マップは、競争の多い激戦区と、競争が少なくチャンスの多いエリアを知るうえでも役立つ。たとえば小売業界で、競合企業がすべて中間価格の市場に参入している場合、高級品と低価格製品にチャンスがあることがわかる。

戦略マップを活用することで、競合企業のさまざまな特徴も理解しやすくなる。戦略マップ上でのポジション以外に、競合企業と差別化する方法は何かを考えよう。競合企業について、次の点を考えてみよう。

・自社よりも優れている点、劣っている点はどこか?
・何によって差別化を図っているか?
・動きは速いか? ターゲットにしている顧客層は若年層か、年配者か?
・ブランドに大きな特徴はあるか? 急進的な方法をとっているか?
・広告やマーケティングで際立った何かを行っているか?
・特徴的な価値連鎖やサプライチェーンを持っているか?

目標は他企業をよく理解して、上手く反応、模倣、改善、差別化ができるようになることだ。戦略グループに縛られる必要はない。だが、まったく無視するのは得策ではない。競争する意図があるかないかにかかわらず、競合グループと直接的な競争をしなければならない状況になる場合があるからだ。

レイカー航空は、大西洋を渡る便を運行した最初の格安航空会社として知られている。同社は、まず戦略グループを見て、他の航空会社はすべて、低コスト志向の旅行者を無視していたことに気づいた。コストと複雑さの問題から、メリットがないと考えていたからだ。同社は多くの優れたイノベーションを成功させたが、戦略グループの能力を軽視する過ちを犯した。このため、値引き競争を仕掛けられ、同社は創業から年を待たずして倒産した。

ヴァージン航空は、レイカー航空の戦略上のミスを教訓にした。同社は、従来型のライバルから、〝卑劣な策略〟キャンペーンが仕掛けられることを予測した。また、低料金に依存するのではなく、年間を通じて多様なサービスを提供することへの必要性も理解していた。

ライアンエアー、イージージェット、サウスウエスト、ジェットブルーなどの格安航空会社も、直接的競争を避けることの意味を理解している。これらの企業は、他社との違いをはっきりと打ち出し、従来型のライバルが競争を挑みにくくするという戦略をとった。

このように戦略グループのダイナミクスを学ぶことで、イノベーションや防御戦術は成功しやすくなる。戦略グループの無視は、常識にとらわれずに新たな戦略やビジネスモデルを見いだすことの助けにはなるかもしれないが、戦略グループの経験を学ぶことは重要だ。新規参入者が犯しやすいミスや、致命的な欠陥のある戦略の採用を避けやすくなる。

[課題] どの部分でグループ化されているかを見つけ出す

戦略グループの歴史を知ることで、影響力のある変化の傾向をつかみやすくなる。戦略家として思考するうえで重要な、全体的な視点を得られる。

・業界内では、変化はどれぐらい頻繁に起きているか？
・戦略グループ内の競合企業は、変化に対してこれまでどのように反応してきたか？
・競合企業はどのようなタイプの変化を恐れ、変化をどのように理解しているか？

まず、既存の戦略グループ内での、競合企業の基盤となっているものが何かを探ろう。競合グループ内のルールを見いだし、価格や市場シェア、利益率、ブランド価値などの側面で競合企業から不用意に勝負を仕掛けられないようにしよう。競合企業から追いつかれようとしている兆候を察知し、反応するために、さまざまなシナリオを想定しておこう（290ページ）。

次のステップは、新たな戦略スペースを見つけることだ。それが未参入の既存市場の場合もあるだろう。そのときは、その新たな市場の戦略グループをよく理解し、競合企業からの戦略的反応を予期しておくようにすべきだ。新市場を創出しようとする場合もあるだろう。この場合でも、自社の存在を脅威と見なす企業がどこかや、顧客や競合企業の反応を予想することなどは可能だ。

新たな（または近くの）戦略スペースを見つけることのメリットは、競合企業の行動に対する備えがしやすくなる点にある。ライバルのスペースをどうやって混乱させられるかを考えることで、逆に相手がどのような手を打ってくるかを、立場を置き換えて想像しやすくなる。

・高価格／低価格市場に参入することは簡単か、難しいか？
・自社製品やサービスを、競合企業のそれと同価値を持つものとして提供できるか？
・ビジネスモデルの性質を変えられるか？
・価値連鎖の他の部分からマネタイズができるか？

顧客、非顧客、コメンテーターにリーチする

顧客、非顧客、コメンテーターについて、次の点を考えてみよう。

・何に対して満足感を覚えるか？
・なぜあなたの会社の製品を使わないのか？
・製品をどのように使っているか？
・製品について気に入らない点は何か？
・広告、顧客体験、サービス、品質についてどう思っているか？
・変化を受け入れる準備ができているか？
・市場のギャップについて話をしているか？

・イノベーションに成功した、または大きな失敗をした競合企業はあるか？

新しいビジネスモデルをつくる

ビジネスモデルとは、戦略スペース内で価値を創造し、それを収入に変えるためのアプローチのことだ。ビジネスモデルが多様化し、頻繁に話題に上るようになったのは、インターネット革命が起こった後だ。

インターネットの普及によって、起業家やイノベーターはサービス提供や課金の新たな方法を得た。まずは、価値連鎖とサプライチェーンによって、対象の市場セグメントに価値を届ける方法を文書化しよう。次に、戦略グループ内ですでに確立しているビジネスモデルを分析し、イノベーションや改善の余地がないかを検討しよう。

［成功の基準］他社の戦略の予想や、意図が理解できる

まず、戦略グループのダイナミクスやルール、ポジションを理解しよう。相手とゲームのルールを理解することで、いつルールに従い、いつ破るべきかの判断がしやすくなる。

タイミングを読む勘を磨くために、市場内の変化のリズムや形態にも注目しよう。頻繁に革新的な変化が生じているのであれば、反応や適応の準備を整え、必要であれば戦略グループに先んじて行動できるようにしておこう。過去100年の間に目立ったイノベーシ

ョンがなければ、ゆっくり時間をかけて戦略を練ってもいい。顧客やサプライヤーとの情報共有も忘れないようにしよう。

戦略グループを理解することで、さまざまなメリットを得られる。だが次の段階として、その知識のエッセンスを抽出し、戦略的な選択肢に変えなければならない。意思決定者は、何らかの決定をしなければならない。製品に関する選択の場合もあれば、戦略スペースにおける方向性についての選択の場合もあるだろう。意思決定をする立場にいない人でも、選択肢が何かをはっきりと理解できるようにしておくべきだ。

競合企業の戦略的行動の予測や解釈ができれば、利点になる。さらに良いのは、会社にとって累積的（または破壊的）なメリットをもたらす方法を、創造的な方法で見つけることだ。そのために、製品の高性能化やサービス、市場の再定義や、新市場の創出も検討しよう。

チェックリスト

□戦略グループの従来型の仕組みやルールを明らかにしている。
□戦略グループを、非従来型の側面からも理解している。
□戦略スペース（とそのダイナミクス）を検討・議論している。
□戦略スペース内の機会と脅威を特定・検討している。

□従来の戦略グループの内外での、現実的な成長シナリオを描いている。

[落とし穴] 戦略グループの理解に潜むメリット・デメリット

従来の戦略グループを無視することにはリスクが伴う。戦略グループを理解していなければ、価格やサービス、品質、性能に関する自社の戦略的選択に、相手がどう反応するかを予測できない。顧客への日々のサービス提供という争いで、競合企業に負けてしまう。

逆に、従来型の戦略グループの常識に縛られることもリスクになる。新規参入者が新たなルールをつくるかもしれないし、既存の競合企業が、あなたの会社を市場から追い出すような製品を準備しているかもしれない。

まとめ

◎十分な時間をかけて、絶えず戦略グループの理解に努めよう。主な競合企業と、挑まれている競争の内容を把握しておこう。戦略グループの知識が豊富な人材の採用も効果的だ。

◎柔軟かつ創造的な思考で、戦略グループで次に起こることを予測しよう。戦略スペース内に、スイートスポットを探す。組織の強さが、新たなスペースの需要とどのように一致するか（324ページ）、そのために何をすべきかを考えよう。

［こんなアイデアも］業界ルールをも書き換える〝BMI〟

ハーバード・ビジネス・スクールの教授、クレイトン・クリステンセンは、その著書『The Innovator's Prescription』のなかで、ビジネスモデル・イノベーション（ＢＭＩ）には、戦略グループや業界全体のルールを書き換える力があると述べている。ＢＭＩの多くは技術的な革新を基盤にし、収入や価値の源を変化させることで、競合企業を孤立させるパワーを秘めている。

戦略

17 ビジネスを繰り返し成長させる

戦略は、一度決定したら、後はそれに永久に従い続けるような何かではない。成長を続けるためには、絶えず戦略を見直し、現実に即したものであることを確認していかなければならない。
また、戦略が現実に即したものであっても、それを機能させるためには、新たな行動が必要になる。

［使用すべきタイミング／頻度］
年４回。

［主な対象者］
自分と組織。

［重要度］
★★★★

オラクルは、たった3人がアイデアひとつで始めた企業だ。その後30年、同社はリレーショナルデータベース市場の約50％のシェアを獲得し、売上が約300億ドルの企業に成長した。成長を維持するために、同社はさまざまな戦略を巧みに組み合わせた。たとえば、初めて売り出すソフトウェアのバージョンを、2・0にした。顧客に信頼感を与えるためだ。実際には、バージョン1・0はつくっていなかった。

成長曲線が横ばいになると、オラクルは新たな成長源を求めて、戦略的な買収を行った。戦略的な人材採用も進めた。また、重要だったのは、ハードウェアとソフトウェアを一体のものとして提供するという、戦略上のミッションの理解と促進だった。このミッションは、永続的な成長という目標を追い求めるなかで、進化していった。

[目標]「組織の寿命」を克服する

組織には、人間と同じようなライフステージがある。赤ん坊として誕生し、小さな子どものようなかんしゃくを起こし、思春期のにきびや不安を体験する。中年の危機もある。そして、それを阻止するために何かをしない限り、やがて衰退し、死を迎える。

それでも、組織は年齢に逆らえないわけではない。生き残り、永続的に成長できる。創設者がこの世にいなくなった後でも、それ以上、長生きできる。自らを再生し続けることで、危機を克服できる。

戦略とは、目標を達成するために状況に適応することだ。だが、状況もまた、時代とともに変化する。戦略とそれを実現するアプローチもまた、変化しなければならない。

戦略が、古びた文書になってはいけない。それは今日の出来事だけでなく先も見据える、継続的プロセスであるべきなのだ。来月、次の4半期、来年、次の10年に起こり得る課題や脅威、機会を予測しなければならない。

[背景] 企業にも標準的なライフサイクルがある

すべてのものにはライフサイクルがある。製品はもちろん、産業、戦略グループ、組織、そして戦略にもある。すべての段階では、異なる種類のイノベーションが求められる（次ページ図を参照）。

最初に導入期（誕生）があり、成長、成熟、衰退と段階を辿っていく。各段階では、脅威と機会、標準的な反応が予期される。標準的な反応に従う必要はないが、それを知っておくことは大切だ。ルールは知らなければ、破ることはできない。

ライフサイクルは製品の需要の影響も受ける。始めは、資源と人材を見いだす必要がある。次に、注目を得るために努力する。戦略ではまず、新しいものを試すことを好むイノベーターとヴィジョナリーの目に留まることを目指す。マーケティングでは、流行に敏感な人々の注目を引きつけなければならない。

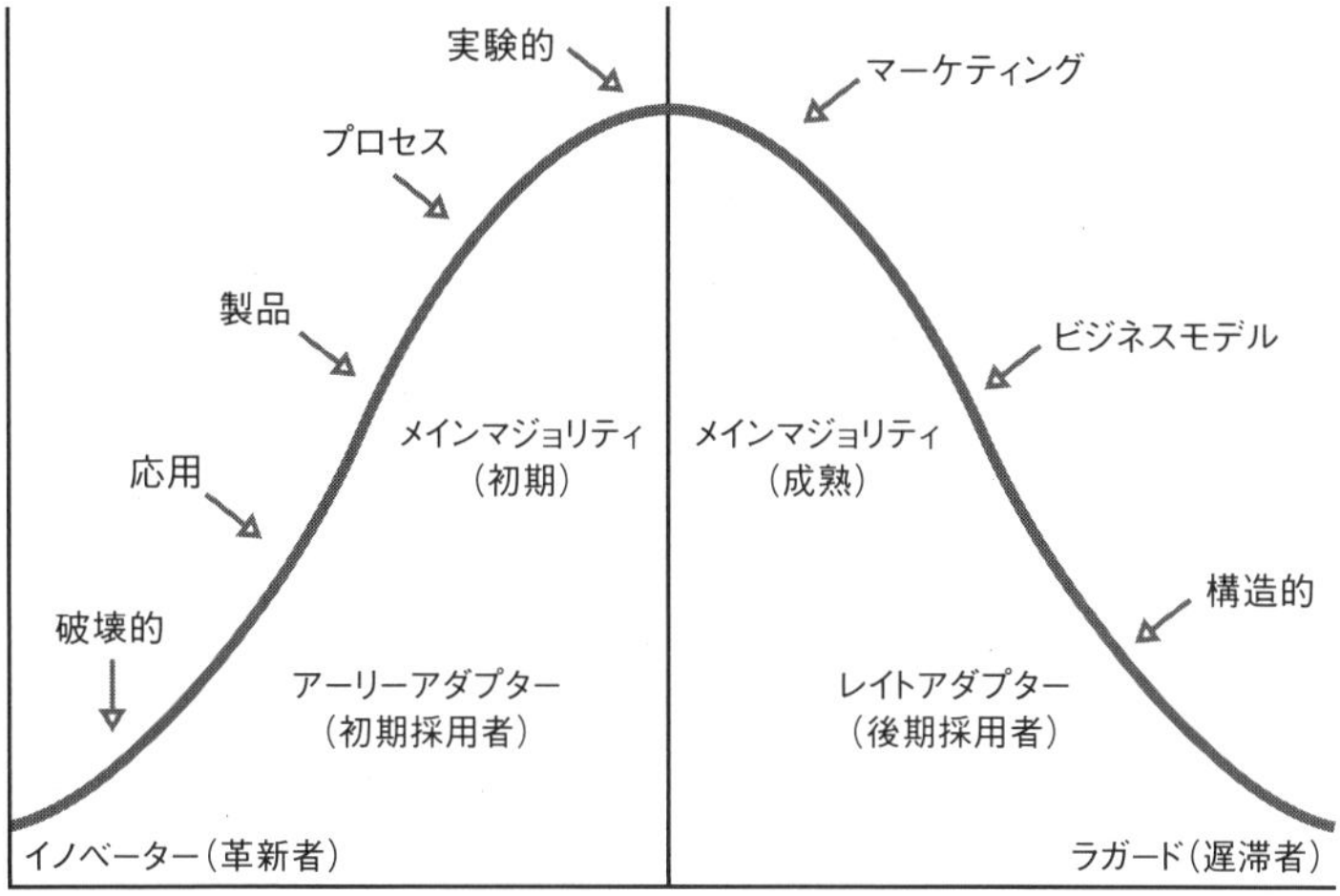

次の段階は、イノベーターとアーリーアダプターの大きな溝を埋めることだ。アーリーアダプターは、マスマーケットの最初のセグメントだ。通常はそのためにマーケティング内容を変更し、大きな需要を狙うための組織的な行動をとる。次に、成長を確立するための取り組みが必要だ。

成長の確立と成熟の段階は、企業と製品のライフサイクルが必然的に辿る部分だ。このプロセスは、新たな危機をも導く。各段階で問題が生じ、それぞれの解決策が必要になるからだ。解決策は、標準的な反応と新たなイノベーションの組み合わせになる。

戦略家の仕事は、未来を具体化する戦略をつくるために、全体像を見ることだ。これらのモデルを使うことで、将来的に組織に起こり得ることを予測しやすくなる。

・会社は現在どの段階にあるか？
・業界は現在どの段階にあるか？
・製品とサービスは現在どの段階にあるか？
・会社はどのような危機に直面したことがあるか？　次に予測される危機は何か？

まず優先すべきは、生き残ることだ。そのための基本的な行動をとらなければならない。だが、さらに大きな成功を目標に据えることも忘れてはならない。生き残ることだけでなく、成長も目標にすることが、結果的に生存の最善策になることは多い。次の点について考えてみよう。

・組織は過去にどのように成長してきたか？
・現在の傾向と競争が継続するとしたら、会社はどのくらいの速度で成長するか？
・会社にとって成長の原動力は何か？
・成長を続けるために必要な人材は誰か？
・成長に役立つパートナー組織、市場、製品は何か？

［課題］期待感と現実味を両立させる戦略を

継続的な成長とは、組織が全体として衰退してしまう前に、いくつもの新たな成長曲線を生み出していく絶え間ない営みだ。組織内の課題には、顧客のニーズを満たす新製品を開発し、かつ競合企業に負けないことを念頭に置いて取り組まなくてはならない。

そして、これらの問題を克服することこそが戦略の役割だ。会社は、問題への現実的な解決策を必要としている。同時に、従業員やサプライヤー、顧客を触発し、惹きつけるための、想像力の豊かな解決策も必要としている。戦略は、人々の気持ちを高揚させるだけの斬新さと、信頼されるだけの現実味を兼ね備えたものであるべきだ。

組織の部門や機能は、戦略にフィットしているか？

戦略は、成長市場の需要に適したものであるべきだ。組織が成長市場にいない場合、その市場を成長市場に変えるか、新たな市場を見つける必要がある。また、組織には戦略を実現するための能力も必要だ。必要な人材とスキルが不足していれば、戦略そのものが良くても、理論を現実化できずに失敗するかもしれない。

戦略のロジックの妥当性をよく検討し、実践しよう。実現を望んでいることと、実現の手段の間にある矛盾を探そう。

組織を分割する必要はないか？

組織の体制を適切に整えたつもりでも、行動のスピードが上がらない場合もある。新しい変化に迅速に対応できないこともある。組織や計画が複雑化すると、柔軟さが失われることは多い。ルールが増え、その決定者と執行者も増える。これでは問題が悪化する一方だ。人材に能力を発揮させ、現場の効率を高めるためのカギを握るのは、自律性だ。上手く機能を分散化させて、会社の血管のつまりを改善しなければならない。

組織内に建設的な対立があるか？

会社が前に進むためには、社内にある程度の対立が必要だ。誰もが同じ意見を持っていたら、新しい考えや批判、改善が生じにくくなる。逆に対立が強すぎると、合意が形成されにくく、行動にも結びつかない。

戦略家として、社内の衝突を観察しているか？

社内で意見が衝突したときは、それが公平かつ透明なものか、建設的かどうかなどを観察しよう。閉じられた空間で物事が進められ、良い意見を持つ人が口を閉ざすような状況にならないようにすべきだ。

組織は矛盾や対立を乗り越えて学んでいるか？

創造的な戦略は、対立の克服という価値を組織にもたらす。まず、どこで意見の対立が起きているかを明らかにし（問題が社内でオープンに話されていれば、簡単だ）、次に会社の経営と戦略の実現という観点から、対立の矛盾点を探そう。そして、対立や矛盾を克服する効果的な方法を考える。

このプロセスを完璧に行うことは至難の業であり、頻繁に問題にも直面する。しかしこれは、次にすべきことを明確にし、問題解決のプロセスと解決策の実行に人々を関わらせるための唯一の方法だ。

［成功の基準］組織の各段階ごとに成長戦略を考えている

さまざまなライフサイクルのモデルを理解することで、会社が若いのか中年期なのか、上り坂か下り坂かを把握しやすくなる。業界や製品、サービスの成長段階についての理解も深まる。それぞれが異なる段階にある場合もあれば、重なり合っている場合もある。

知識を実際的（かつ戦略的）に活かすためには、ライフサイクルの各段階と、それに関連する典型的な危機を知っておくべきだ。たとえばある製品が、どのような状態の市場（成熟や衰退など）で、どのような段階（導入期や革新期など）かを理解しておこう。

理想は、組織を再生させるための新たな方法を探るために、組織のライフサイクルの各段階で戦略的な行動をとっていくことである。新たな成長曲線を描く製品を探し出し、下降している製品の代わりになるようにする。組織を新たなレベルの成長に導く、まったく新たな成長曲線を探そうとすることも大切だ。

変える必要があるものの見極めも、組織全体としての成長曲線の急激な低下や、末期的な衰退を避けるうえで重要だ。多くの組織は、長期的に忍び寄る脅威の存在を認めようとしない。あるいは、脅威を認めても、脱出する方法を探らなかったり、脱出口を見つけても、そのためにどのような変化を取り入れればよいかがわからなかったりする。

チェックリスト

- □自らの業界、製品、組織のライフサイクルがどの段階かを把握している。
- □成長の各段階で、いつ、どのような脅威が生じるかを理解している。
- □ライフサイクルの各段階に関する、典型的な課題とその解決策に精通している。
- □直面する脅威とチャンスに、創造性を駆使して戦略的な反応をしている。
- □成長のために、変化を効果的に取り入れる方法を明らかにしている。

［落とし穴］同じ戦略を使える機会は少ない

ある問題の解決策は、次の新しい問題に直面したときも使えると見なされがちだが、現実は多くの場合、その逆だ。

たとえば、組織や工程の変革を必要とする課題もあるが、その解決に求められるのは創造性と自律性だ。従来と同じような考えで変革に取り組もうとすることは、組織にとってリスクになる。新たな課題は、社員とリーダーに速やかな学習を要求する。どんな問題に挑むにせよ、それについての経験が豊富な人材を必要とするかもしれない。

成長戦略をつくろうとする試みは、変化によって得るものより失うもののほうが多いと感じる人たちによって停滞（または阻止）させられることがある。「金の成る木（低成長だが稼ぎ頭ビジネス）」や「負け犬（低収益の嫌われビジネス）」などの部門のリーダーが、「花形（高成長のビジネス）」候補部門に会社が多額の投資をすることや、そこに自部門のビジネスが食われてしまうことを嫌う場合があるからだ。

これは「対策はわかっているが、手を打たない」という、組織にとって危険な状況をつくりだす。たとえば、ネットフリックスのライバルだったブロックバスターは、郵送でのレンタルDVDサービスが未来のビジネスモデルであることを知りながら、必要な改革を推進しなかった。

同じことは、フォードやGM、クライスラーの取締役会にも当てはまる。ホンダや日産、トヨタから競争を挑まれていることを察知しながら、変化に対応するための行動をとらなかった。長期間存在する脅威は、逼迫《ひっぱく》したものととらえるべきだ。非常事態だと認識することで、行動を喚起しなければならない。

まとめ

◎自社が企業のライフサイクルの、どの段階にいるかを理解しよう。
◎戦略ツールを使って、主要な製品／サービスがライフサイクルのどの段階かを明らかにしよう。
◎会社全体が衰退しないために、製品、サービス、人材を戦略的に再生させる方法を、創造的に考えよう。
◎シナリオプランニングを使って、将来を考えよう。他チームと協力してさまざまな未来を想像し、選択肢を検討しよう。
◎必要な変革の妨げになっているエリアを特定し、その克服方法を検討しよう。

［こんなアイデアも］自律と支配をうまく使い分けるリーダー

スタンフォード経営大学院の教授、バーゲルマンとインテルの元CEOのグローブは、継続的成長をするためには、リーダーが自律性と支配性の間をタイミングに応じて行き来しなければならないと主張している。2人はこれを、「時に無秩序に支配させ、時に無秩序のなかで支配する」と表現している（318ページ）。

戦略

18 グローバル化を成功させる

世界を視野に入れる企業の目の前には、大きなチャンスがある。ドメスティックな企業に留まるか、グローバル化を目指すかは、どのような戦略的意思決定をするかで決まる。

もちろん、早急かつ過度な拡大戦略をとれば、後悔することになるかもしれない。しかし、世界的なブランドになる可能性があることも間違いない。

［使用すべきタイミング／頻度］
定期的、
または適時にレビュー。

［主な対象者］
自分と上司。

［重要度］
★★★★

ボーダフォンは、イギリス初の携帯電話会社だ。同社のCEOはアメリカの企業と連携して独自の技術を開発し、国外の新たなビジネスチャンスにも絶えず目を光らせた。その結果、ボーダフォンはフィンランドのパートナーと共同で、国際ローミング通話サービスの提供に成功した。同社は、「成長しなければ、他社に支配されてしまう」ということに気づいたのだ。

またボーダフォンは、提携と買収を通じてグローバルな拡張を推進していった。それにより、主力製品であるモバイル製品の顧客を多く獲得した。さらに、子会社を売却して得た資金を、新興国でのビジネスに投資した。同社は現在、世界で最も価値あるブランドと、5億人の顧客を持つ世界最大規模の企業に成長した。この成長は、グローバルな視点を持つリーダーによる、明確なグローバル戦略によって可能になったのだ。

［目標］会社のポテンシャルを引き出す

世界は広い。当然、国内に留まるよりも多くの成長のチャンスが期待できる。ビジネスを国内市場に限定すれば、会社が持つポテンシャルを最大限に押し広げることはできない。国内で高い評価を得ることも大切だ。だが、そこに留まっていれば、いくつもの魅力的な目標を逃してしまうことになる。次の点について考えてみよう。

・グローバル戦略で、得られるチャンス、回避できるリスクは何か？
・最も効果的なグローバル戦略は何か？
・グローバル戦略が失敗するかもしれない理由は何か？　それを避けるには何が必要か？

どの企業にとっても、強力なライバル企業の登場によって、生き残りが難しくなる可能性はある。そのような脅威に直面した企業の多くは、グローバルな事業展開によって企業の規模を大きくしている。資源も豊富にあり、優秀な人材を多く採用できる。「規模の経済」的メリットも得られる。国内のトップ企業ではなく、世界のベスト企業に勝つために努力をしている。高い基準に従い、多くのアイデアと意欲を持っている。

どの市場にも脅威がある。そのなかには、国内の制約の外側に出ることで低減できるものもある。国外市場のライバルと争うことでさまざまな成長が期待できるし、グローバルな競合企業から争いを仕掛けられても戦える体力を備えることになるからだ。

［背景］　大きな成長チャンスは新興国にある

企業規模が大きくなくても、国外に事業を拡大できる。実際には、別の国でビジネスをするということである。グローバルという言葉にとらわれる必要はない。

これまでグローバル経済の中心地は、アメリカと日本、ＥＵだった。これらの地域は、国際的な取引が最も活発で、最も多くの世界的なブランドを保有していた。本書の例として取り上げた企業のほとんども、他のどの国や大陸よりも、大規模でグローバルな企業が多いこの3つの地域を拠点としている。

しかし、状況は変化している。中国は今後数年で、世界最大の経済大国になるだろう。急速に発展している市場のほとんども、新興国にある。何より重要なのは、これらの国々はもはや、世界的なブランドに製品を供給する側から、自身の国際的なブランドを開発（または製品を購入）する側にシフトし始めていることだ。

先進国には、現状としては最大規模の市場がある。新興国には、成長著しい市場がある。いずれにしても、チャンスは国外にあるのだ。成長する世界市場に参入することで、企業の成長を加速することができる。

［課題］まずは国内市場で企業価値を高める

成功を保証する、グローバル戦略は存在しない。成功の一部は、ほとんど偶発的と呼べる要因に左右されることもある。国外に目を向け、最大のチャンスを逃さないようにすべきだ。たとえばコカ・コーラやマクドナルドなどの世界的なブランドは、軍隊を追いかけて戦地でビジネスをすることとすらある。

まず、国内で成功することも重要だ。国内のトップ企業（ボーダフォンなど）になることで、十分な収益や専門性、評判を獲得し、それをグローバル戦略実現のための資源にできる。ウォルマートもこの条件を満たしていた。サプライチェーン・マネジメントと規模の経済的利点を持ち、外国で成功できる条件は揃っていた。

しかし、国内での成功が必ずしも国外での成功を保証するわけではない。国内では強くても、世界的なブランドになっていない企業は少なくない。単に、グローバル化への意欲や経験が不足しているケースもある。運に恵まれなかったり、変化を受け入れずに国際市場で自分たちのやり方を貫こうとしたケースもある。

ウォルマートは、国際企業になった。同社は世界最大規模の企業で、世界最高峰の価値あるブランドを持っている。しかし、その利点にもかかわらず、同社は世界的な企業でも、世界的なブランドでもない。ウォルマートは多くの国の市場で、ビジネスを成長させることはもちろん、市場に参入することにすら苦戦している。同社はイギリスでは、ウォルマートのビジネス手法を成長のための理想的な方法だと見なす、ASDAという理想的なパートナー企業を得た。しかし、その他の多くの国や地域（南米や日本）では、現地化に苦戦し、満足のいく成果をあげられていない。

このような課題はあるものの、一般的に国内市場で独自の（または高い）価値を持つ企業は、国外市場にも需要があると期待してもいいだろう。国内市場でありふれているものが、国外ではユニークなものとして受け止められるケースもある。たとえばドイツ人は高級車の製造が得意で（アウディ、メルセデス、BMW）、日本人は家電製品の製造が得意だ（ソニー、東芝、任天堂）。イタリアは素晴らしいスポーツカーをつくる（ランボルギーニ、マセラッティ、フェラーリ）。

［成功の基準］グローバル化で、国内戦略にも変化を起こせる

グローバル化への挑戦を決定するだけでも、戦略の成功の可能性に影響が及ぶこともある。歴史的に、国家は外国を探検し、富や知識を持ち帰った。外国から学ぼうとする企業のリーダーにとっても同じだ。たとえばレッドブルの創業者は、東南アジアの市場から学ぶことで、世界的なブランドを確立した。また同社は、社員や消費者の想像力や意見を取り入れることも忘れなかった。

グローバル戦略は、さまざまなアプローチで検討できる。その１つは、会社が直面しているグローバリゼーションの本質をよく理解することだ。

- 会社は、どれぐらいグローバル化されているか？
- 業界は、どれぐらいグローバル化されているか？
- 自国は、どれぐらいグローバル化されているか？

グローバルに急成長を遂げている企業との競争に直面しているのなら、グローバル化に

急いで取り組む必要がある。少なくとも、とるべき選択肢が何かを理解する必要がある。国内や地域に留まろうとするにしても、その理由を明確にしておくべきだ。また、現在、そして将来的に、グローバル企業とどう戦っていくかについても、よく検討しておく必要がある。

会社が、グローバル企業としての成長と経営に関する経験をどの程度持っているかも把握しておくべきだ。その種の経験や知識が不足していれば、グローバル化を進めるうえでの不安材料になる。これらの経験や知識は実務によって段階的に学べるし、国外企業とのネットワークを構築しておくこともきわめて重要だ。

グローバル戦略からは、多様な方法でメリットを得られる。既存の製品（そのまま、または若干の改良）に合った、新たな市場を探すこともできる。高品質や低コストでの製造を可能にする資源を求めることもできる。既存の資源を使って、新市場向けの新製品開発に取り組むこともできる（292ページの成長マトリックスや他のツールを活用しよう）。

グローバル化に追い風が吹いている傾向もある。多くの市場は、程度の差はあれ、グローバルスタンダードを取り入れる方向に向かっている。顧客の行動にも、世界的に類似性が見られるようになってきている。今後は各国の市場に、独自性よりも共通点が多く見られるようになることが見込まれている。これは絶対的なルールではないが、少なくとも理解しておいて損はない。

グローバル戦略への移行は、複雑な問題も伴う。新しい法律、商習慣、関係性、顧客行動、そしてたいていは、言語の壁にも直面する。このため多くの企業は、同じ言語や文化圏の国でグローバル戦略を開始する。ただしこの場合も、類似点が多いことに安心し、市場の違いに気づかないという罠にも陥りやすくなる。

チェックリスト

□最も急速に成長している国々や、最大規模の市場を持つ国を理解している。
□会社の成長のために、最も重要な国がどこかを理解している。
□会社はグローバル戦略（ごく小さな戦略でもかまわない）を持っている。
□戦略には、ノウハウ獲得と成長のための国際的な展望が含まれている。
□成功の評価は、世界的な拡大の実績に基づいている。

［落とし穴］各国ごとに異なる対応・変更が迫られる

最も危険な落とし穴は、外国との間にある大小さまざまな違いへの対処に失敗することだ。変更すべき点と、従来の方法を維持すべき点を明らかにすることは重要だ。また、性急な拡大戦略はリスクを伴う。特に、長期的な投資計画には慎重さが求められる。現地で教訓を学び、変化に対応できるように、柔軟に取り組むことが大切だ。

また、グローバル化には、ある決まり切った方法しかなく、同じ速度で実施すべきだという誤った考えも落とし穴になる。他の企業と組んで、1つの国のみでじっくりと取り組むこともできるし、企業買収によって一気に世界各地でビジネスを始めることもできる。

まとめ

◎グローバル化によって、競合企業にはない、どんな強みを獲得できるかを考えよう。輸出や外国での事業展開によって、自国内で有利なポジションを獲得できる強みがあるか？

◎事業規模の拡大で、どんな利益を得られるだろうか？「規模の経済」や「範囲の経済」がもたらすメリットから、国内の競合企業を凌ぐ強みが得られる可能性もある。特に、国内の戦略グループ内で初めてグローバル戦略を採用する場合に、それが当てはまる。

◎グローバル戦略を持つことで得られる、学習とイノベーションに関する利点を考えよう。実際に国外のビジネスでなくても、外国企業と提携したり、海外の知識を取り入れることで、グローバルマインドを持てる。このような取り組みにより、特にインターネットを活用した、製品／サービスの世界市場への提供機会をつかみやすくなる。

［こんなアイデアも］グローバル化を推し進める3要因

ハーバード・ビジネス・スクール名誉教授のバートレットとロンドン・ビジネス・スクール教授のゴシャールは、グローバル戦略は3つの要件を満たすべきだと主張している。①効率のニーズ——分散化、相互依存、特化型の価値連鎖の構築。②現地対応の応答性——異なるユニットからなる、連邦型の組織への移行。③イノベーションのニーズ——本社、現地、グローバルでの同時的な学習システムの構築、の3つだ。

戦略

19

自社の強みを知る

企業の基盤は、技術と資源である。すべての企業は、技術と資源を独自に組み合わせており、それがプロセスやテクノロジー、企業文化に反映されている。

この独自の組み合わせを、目指す市場においてどう効果的に活かしていくか――その戦略が明確に打ち出されたとき、優れたパフォーマンスを実現できる。

［使用すべきタイミング／頻度］
定期的／年次。

［主な対象者］
組織全体、各社員にまで。

［重要度］
★★★★★★

グーグルが目覚ましい成長を見せるのは「得意分野に集中する」という、はっきりとした企業戦略を打ち出したときだ。

同社が掲げるミッションは、「世界中の情報を整理し、世界中の人々がアクセスでき、使えるようにすること」。同社ほど、この点で優れた企業はない。グーグルは検索の世界に革命を起こした。文字だけでなく、動画、画像、音声、本、ニュースと、その対象は多岐にわたる。動画共有サイトのユーチューブの価値をいち早く見抜いて買収したのも、同社に検索に関する優れた見識があったからに他ならない。

しかし、検索という得意分野以外の領域に食指を伸ばしたとき、グーグルは思うような成果をあげられない。たとえば、同社は過去にSNSサイトを何度も立ち上げたが、いずれも成功したとは言い難い。道は2つに1つしかない。「最も得意なことのみに集中する」か「新たな領域でベストになるための技能を獲得する」かだ。新分野に参入するとき、ベストを目指すための努力をしなければ、投資は無駄になる。新たな市場でベストになれたときにはじめて、投資に価値が生まれる。

［目標］最高のパフォーマンスを発揮できる領域を見極める

自社の技術と資源をよく理解し、強みが何かをはっきりと把握し、どの企業よりも優れた（あるいはオリジナルな）製品／サービスを提供すること。誰も真似できないことをすること。

これらは、ある意味で、〝不公平〟な優位点を見つけることである。知識やブランド、資源の組み合わせによって、他社に圧倒的な差をつけられる、ベストな何かを見つけることでもある。以下の問いを一度だけではなく、何度も繰り返し熟考することが必要だ。

・自社が最も得意なことは何か？

・他社が真似できないものは何か？

・独自の能力と技能をどのように使えば、顧客が真に求めているものを提供できるか？

他社の真似はしない。また、他社に真似をされないような形で、最大の能力を発揮できる領域は何かを見極める。メリットを最大限に活かす方法を考え抜く。

トヨタは高級車市場への参入した時に、ライバルのメルセデスと同じ方法はとらなかった。独自の生産システムを活用し、低コストで質の良い高級車の生産に成功した。自らの強みを知り尽くし、それを活かすことを高級車市場の巨人、メルセデスに対抗する戦術の要《かなめ》としたのだ。

他社から真似されにくく、持続性があり、収益を生みやすく、顧客から見て違いが明確なものを見つけることが理想的だ。

［背景］強みと弱みのギャップを埋めなければいけない

戦略とは、単にチャンスを見つけ、行動することではない。それは、「自らの強みと弱みを、どうチャンスと結びつけるか」でもある。ギャップを明確にし、それを埋めるための計画を立てなければ、成功は収められない。

自らの強みをベースにした戦略へ集中するという方法もある。競合企業よりも優れた能力を持つ場合には、この戦略は効果的だ。強みとチャンスが重なった領域に特化した戦略を立てれば、さらに強力なものになる。

・ギャップを埋めるために、どのように戦略を拡張できるか？
・望むべき能力を獲得するために、現状において具体的に何をすべきか？

この種の戦略拡張はとても魅力的だが、ギャップを真に理解していないと成功は難しい。ある強みから別の強みに自然と広げていく形で戦略を拡大することが望ましい。

[課題] 時間をかけた弱点の補強

弱点は訓練で改善できる。能力のある人材を外部から採用することで補える弱点もある。しかし、そこには問題もある。まったく新たな能力の獲得は難しく、コストもかかる。以下の点について考えることが重要だ。

・新たな能力や強みは、獲得するために投じる労力とリスクに見合う価値があるか?
・弱点を改善しなければならないだけの脅威は存在しているか?

習熟には時間がかかり、企業レベルで本格的に取り組んでも、従来のコア・コンピテンシーを凌ぐほどの新たな強みを身につけるのは容易ではない。新たな領域でこれまでの得意分野と同じような強みを得るために学び始めるときは、組織の内外から、考え方を根本から変えていく必要がある。組織のトップからあらゆる階層の社員に至るまでが同じ意識改革をしなければならない。

外部の人材の採用は、簡単に知識を獲得できる方法ではある。しかし、専門知識だけを採用基準にすれば、他の側面で問題が生じることも考えられる。また、得意分野を持っていることは強みでもあるが、容易に利益を生み出せるため、他の分野に挑む意欲が失われるというデメリットもある。

［成功の基準］強みをチャンスにうまく活用できる

成功のカギは、自社の強みを柔軟かつ明確に理解することだ。最も優れている点は何かを見極め、それをチャンスと結びつけていく戦略が重要になる。

この実現は簡単ではないが、それはどの企業でも同じだ。何十年にもわたって、企業もアカデミズムも、コア・コンピテンシーとリソース・ベースド・ビュー（経営資源に基づく視点）には頭を悩ませてきた。逆に言えば、この難しい課題に取り組むのは、それだけの価値があるからだ。

基礎となる強みを、未来の成長を可能にするものにするか、逆にそれを制限するものにするかは、創造性にかかっている。「戦略と展望を結びつけているか」「組織の既存の人材、技能、資源から強みを引き出しているか」「競合企業よりも簡単に行えることは何か」「多額の費用をかけて新たな能力を獲得するに値する領域はどこか」などを考えることが求められる。

強みの限界を明確にすることも成功基準になる。現状維持に甘んじていたら、どれほどのリスクがあるのかを把握しなければならない。

得意なことばかりをしていると、差し迫る危険を察知できなくなる落とし穴もある。

チェックリスト

□過去に成功をもたらしたものが何かを把握している。
□最も得意なことが何かを理解している。
□強みの限界を知っている。
□強みを活かせるチャンスを十分に調べている。
□戦略では、強みと弱みのギャップを検討している。

［落とし穴］「過去の成功体験＝強み」ではない

最大の強みを理解することと、学びや成長を止めることとは違う。強みを探すことは、「過去に上手くいったことを見つけ、それを今後も繰り返すこと」と混同されがちだ。

過去に上手くいったことのみに戦略を限定すれば、将来の成長は制約されてしまう。新たな挑戦や機会に適応する能力も衰えていくだろう。得意分野を明確にする際には、柔軟かつ広い視野で臨むことが重要だ。

まとめ

◎強みは細かく把握すべきだが、同時にその本質についても理解すべき。会社の宣伝文を考えるつもりで、スローガンとなる自社の強みが何かを考えよう。

◎SWOT分析（274ページ）を用いて、創造的な方法でチャンスと強みを結びつけよう。競合企業よりも効果的に、チャンスをものにできる方法とは何か？

◎新たな能力の獲得に要するコストを検討しよう。単なる野心では新たな領域では成功できない。過去に新分野への参入を試みた際の経験から学ぶ。

◎何がコア・コンピテンシーで、今後どのように変化するかをオープンにとらえよう。適応力、行動力、人材活用能力など、価値連鎖のどの部分も競争力の源になる。

［こんなアイデアも］経営資源と能力の融合から価値が生まれる

リソース・ベースド・ビューとは、経営学者のジェイ・バーニーが提唱した企業戦略の概念だ。バーニーによれば、経営資源と能力が独自に組み合わさることで、他社が真似をしにくい価値が生まれる。この価値に合った適切な戦略を策定することで、持続的な競争優位が確立される。

第5部
戦略を活かす

戦略の力は、未来を具体化することにある。これを実現するには、戦略は現実世界で機能する必要がある。多くの戦略は、ただ目標を書き留めるだけで終わるが、それでは空想と同じだ。その空想世界では、経営者の指示が遠く離れた現場にいる社員に速やかに伝達され、戦略のすべての前提が、永久に正しい物であり続けることになっている。

優れた戦略家は、戦略文書をつくるだけでは満足しない。戦略家は、未来を具体化するために、戦略を機能させる方法に注目する。これは、戦略をつくる方法にも当てはまる。戦略策定のプロセス自体を通じて、現実世界での戦略の価値とエンゲージメントをいかに高めるかを重視するのだ。

戦略の結果として生じるのは、意図したことと、人々の行動の結果の混合物である。戦略は、組織のさまざまなレベルが毎年、直面するすべての脅威と機会を予測できない。

戦略プロセスを効果的なものにするには、多くの人を関与させ、将来のいくつものシナリオを現実的な視点で厳しく検討することだ。変化を予測し、個人の行動（と利益）に矛盾しない戦略をつくろう。

目標を達成する前に、組織は多くの危機や問題に直面するだろう。組織が生き残り、成長するためには、目標自体を変えなければならない場合もある。これらに上手く対応できる準備をすることこそが、戦略の役割だ。

戦略

20 戦略プロセスを管理する

戦略は個人競技ではない。CEOであっても同じだ。戦略の効果を最大限に高めるには、社内外のあらゆる階層の人材と知識を活用しなくてはならない。戦略の策定、導入、評価を、現実的に機能させる方法で管理していくべきだ。

［使用すべきタイミング／頻度］
毎月、毎年。

［主な対象者］
自分と組織。

［重要度］
★★★★★★

GEのCEO、ジェフリー・イメルトは、会社をアメリカのGDPよりも2〜3倍速く、有機的に成長させると決定した。それは大胆な目標であり、達成のためには戦略プロセスを再設計する必要があった。目的は、成長への意欲的で洞察に富んだ戦略アプローチをつくり、その戦略を現実世界で効果的に機能させることだった。

プロセスを迅速に進めるためには、多くの人を関与させて、権限を与える必要があった。戦略の作成と実行のプロセスは6つのパートに分かれ、完了に2年を要した。それは、GEが独自に作成した、GEのための戦略だった。この戦略では、プロセスは明確な開始点を持たずに絶えず循環し、各要素（顧客、イノベーション、テクノロジー、広告、グローバリゼーション、リーダー）が、戦略全体を強化する。

［目標］戦略の実行過程に全社員が取り組む

戦略マネジメントのプロセスには色々な種類がある。正式なプロセスがない中小企業は、戦略立案と実行の同時進行でプロセスを決めていく。多くの大企業は正式なプロセスを持っていて、通常は次の事業年度の3〜6カ月前からプロセスが開始される。

この正式なプロセスでは、各部門が計画を幹部に電子メールで送り、幹部がそれを全体的な計画にまとめ、電子メールで社内に通達する。このやりとりのなかで、資源や予算の目標値についての交渉が行われる。会社によって差はあるものの、社員はある程度は戦略に沿った行動をするが、戦略に従わないことも少なくない。

トップがすべてを決め、社員はそれに従わざるをえない企業もある。逆に、戦略を機能させるために、立案時には全員から意見を求め、実行時には全員を関与させようとする企業もある。戦略が、形式的なものとしてしか扱われていない企業もある。これでは、戦略の内容を、多くの社員が知らないという状態になりかねない。社内政治や官僚主義のために、計画が過度に詳細だったり、創造性が失われていたりする場合もある。

理想的な戦略プロセスは、年間を通じて絶えず社員全員が情熱と工夫を持って取り組むものであるべきだ。戦略とは組織であり、組織とは戦略である。全員が知識を持ち寄り、想像力を発揮することで、戦略プロセスは流動的でダイナミックなものになっていく。

［背景］前年からの見直しでは、全体的な視点に欠ける

戦略マネジメントのプロセスは、いくつかに分けることができる。すべてを実施することも、一部を実施することも可能だ。重要なのは、これらのプロセスを理解し、組織のパフォーマンスに貢献するプロセスをつくりあげられるようにしておくことだ。

従来型の戦略計画サイクルは、前年の計画に対する主な業績の見直しから始まる。だが実際には、このレビューは年間を通じて可能なものである。業績は1年に一度、驚きとともに発表されることも多いが、その実体は、日々の積み重ねなのだ。

このプロセスは、トップマネジメントからの全体的な視点に基づいているという意味では、戦略的だと言える。だが、全体像を考慮していないことが多いという点では、戦略的だとは言えない。会社の現状を全体的な視点でとらえようとしていない。業績や傾向に大きく影響する、市場のポジションを考慮していない。ミッションや目標、目的、競争優位を軌道修正すべきかどうかも見直されない。

また、1年単位で戦略を策定し、実行するだけという企業も多い。次の1年で何が起きるかを単純に予測し、それに基づいてその年の業績目標を設定する。ステークホルダーからの圧力が強くなれば目標値を上げ、業績を簡単には伸ばせそうにない状況であれば、目標値を下方修正する。

部門の責任者が計画の詳細を提出し、幹部がごくわずかな修正を加えて1つの文書にまとめ、社内に配付する方法もある。幹部が決めた目標を部門の責任者に伝達し、目標値や予算、計画、報酬などについて交渉をしながら詰めていく方法もある。いずれの方法も、包括的な視点で計画がなされていないし、目標も妥協の産物にすぎない。

［課題］戦略策定は全員でじっくり、実行は速く深く

従来型の計画プロセスには多くの問題がある。想像力を使って戦略を吟味するための時間が不足しているし、戦略の前提や妥当性、信頼性も検証されていない。

経営幹部（と下のさまざまなレベルの社員）は、戦略の全体像を描くことに十分な時間をかけよう。1日ではなく1週間、年に1回ではなく2〜4回に増やそう。戦略会議を有効で、創造的で、楽しくするために、会議を上手く仕切ることのできるファシリテーターを使おう。週次や月次の会議も、さらに戦略的なものにできる。事務的な報告に費やす時間を減らし、競合企業に打ち勝ち、競争優位を探すための思考の時間を増やそう。

社内外の人間の力を借りて、戦略プロセスを速く、深いものにしよう。多くの人を関与させることで、仕事が増えるとは限らない。むしろ、目的を明確にした戦略イベントに適切な人材を従事させることで、プロセス全体の期間を数カ月単位で減らすことができる。これらの会議を、経営幹部の会議の間に予定し、さまざまな戦略やシナリオを検討しよう。過去の戦略実行の教訓を活かし、それを計画に取り入れよう。

組織全体の議論を通じて、戦略モデルを共同でつくりあげよう。会社全体で率直な議論をすることで、戦略の決定内容はさらに明確なものになる。戦略をシンプルかつ、誰もが納得のいくものにすることで、社員はその実行に貢献しやすくなる。自分たちでつくりあげたという実感があれば、戦略を成功させようという意欲も高まる。目標や進捗を書き出して壁などに貼るなどして、社員の目に常に触れるようにしよう。

この方法の良さは、戦略をダイナミックなものにし、ダイナミックな競争環境のニーズに上手く適用しやすくなる点にもある。また、組織やプロセス全体、企業文化を戦略の実現に活用できる。学習と反応の速度と質も高めやすくなる。

［成功の基準］　戦略プロセスが継続的な「学習」になる

戦略プロセスは、従来のような、退屈で時間のかかる、年に一度の売上目標の交渉のようなものではなくなる。それは、競争優位を積み重ねることで他社に打ち勝つための、迅速で魅力的な、絶え間ない学習プロセスになる。

もちろん、数値的な目標は必要であり、業績の評価や財務的な管理も大切だ。ただし、これらに必要以上の労力を投じるべきではない。集中すべきは、競争優位を実現するための戦略的な思考と行動だ。

会社の戦略にとって、何が成功かを明確にしておこう。ミッション達成のための進歩は、どのような指標で把握できるか？　戦略の成果の確認方法は？　グループと個人の戦略への貢献度の測り方は？　戦略は、現在地から目的地までを、最も効果的に目指す方法であるべきだ。成功のものさしを理解していなければ、その過程で起きたことから学ぶことができない。

チェックリスト

□戦略の各段階を組織内の具体的な部門／レベルに結びつけるプロセスがある。

□社員全員が、戦略の成功基準を理解している。
□戦略の評価と進行の管理のためのバランスト・スコアカードがある。
□学習、思考、レビュー、戦略策定のために十分な時間をかけている。
□戦略マネジメントのプロセスに、社員の積極的な関与と戦略実現への貢献のための仕組みが組み込まれている。

［落とし穴］曖昧な戦略の実行で、社員は進路を見失う

戦略プロセスが曖昧すぎると、多くの問題をつくりだしてしまう可能性がある。社員は方向性を知ることも、進捗を把握することもできない。戦略マネジメントのプロセスが、社員の積極的関与や十分な理解を伴わない場合もある。社員は成果によって報酬が与えられることは把握できるが、会社の全体像をイメージできず、そのためにどう貢献すればよいかも、なぜ貢献しなければならないかもわからない。

まとめ

◎既存の戦略マネジメントのプロセスを文章や図で表そう。正式なプロセスがな

い場合、会社での目標設定のされ方を書き出す。プロセスがきわめて複雑な場合や、ほぼ存在しない場合もあるだろう。いずれも、目的に合ったものかを確認する必要がある。この作業で初めて、良い解決策を求めてプロセスを再設計できるようになる。

◎頭のなかに戦略があっても、実際のプロセスは、予測される業績に基づいた財務的目標について、合意を得ることだけになってしまう。未来を形づくるために、戦略的思考を導入しよう。

◎戦略プロセスに多くの人を関与させよう。ともに直面している問題やチャンスについて話し合い、彼らのアイデアを活用し、真に戦略的な計画を作成しよう。

◎社内に勢いをつけるために、戦略プロセスをキャンペーンのようなものにしよう。本書で紹介した質問から日常的に社内で戦略的な会話をし、改善していく。

◎戦略立案のセッションを、新たなスタイルで行おう。できれば、オフィスを離れて、2日間ほどかけて行うのが望ましい。

◎戦略立案の最初の数日間は、ストラテジー・クエスチョン（270ページ）の検討にあてよう。次に、これらの質問への答えを知的かつ楽しみながらじっくりと検討できるように、資料や活動を準備する。

◎戦略プロセスを促進するため、専門家の力を借りることを検討する。これは会社の未来に影響する重要なプロセスであり、投資する価値は十分にある。コンサルティング料には幅があるので、信頼できて確かな結果をもたらすコンサルタントを探そう。

◎会社の戦略カレンダーをつくろう。少なくとも数回のセッションを行い、その年の戦略についての合意を形成しよう。次に、進捗、チャンス、脅威と新たなアイデアを評価するためのセッションを行おう。

［こんなアイデアも］重要な戦略マネジメント専門の部署

ハーバード・ビジネス・スクールの教授であるキャプランと、バランスト・スコアカード・コラボレイティブの社長のノートンは、すべての企業は、戦略を機能させるための主導的な役割を果たす、「戦略マネジメント室」をつくるべきだと主張している。この戦略チームは、計画プロセスを支援するだけでなく、戦略の立案から実行までのプロセスを導く。

戦略

21 戦略マインド養成会議をつくる

良い戦略会議とは、戦略的なマインドを持つ者同士の会議だ。参加者は、戦略の目標と進捗について、オープンに考え、話し合えるべきだ。自由な発想でさまざまな意見を交換しつつ、地に足のついた思考をする。

唯一の絶対的な方法など存在しないが、このような会議は、有意義な戦略を立案・実行するための大きな第一歩になる。

［使用すべきタイミング／頻度］
定期的。

［主な対象者］
さまざまなグループ。

［重要度］
★★★★

ディズニーの新CEOは、新たな形態の朝食会議を始めた。参加者は、会社の方向性や業績、戦略について話し合う。この会議では、ストーリーとアイデアが活用される。参加者は、戦略を生き生きと表現するために、ストーリーを用いる。参加者はストーリーを通じて、望ましい戦略のあり方や、上手くいっている点、機能していない点を語る。ストーリーが共有されることで、会議に参加していない社員にも戦略会議の内容が伝わりやすくなり、戦略と社員の行動が結びつきやすくなった。

［目標］「成長のきっかけ」となる会議を行う

ミーティングは、気持ちの入っていない会議ではなく、心と心の出会いであるべきだ。残念ながら、人はすぐに物事に慣れてしまう。会議もすぐに形式的なものになる。それでも、誰もが素晴らしい会議に参加したいと思っている。だが、めったにそのような会議に居合わせたことがない。人々は、価値ある会議に参加したいと望んでいるのに、だ。

まず、セッションでは、ストラテジー・クエスチョン（270ページ）のために十分な時間をとろう。このようなスタイルのセッションを行うのが初めてなら、合宿形式で2日間かけて実施しよう。参加者に、そのセッションが重要な何かのスタートだと感じさせることが大切だ。成功すれば、会社にとって歴史的にきわめて価値のある節目になる。これは、参加者全員の未来を形づくる重要なセッションだ。

［背景］期限の設定で参加者の意欲が高まる

タイミングは、戦略そのものだけでなく、戦略会議にとっても重要だ。参加者は会議のアジェンダ（議題）を知りたがる。だが、アジェンダがあることによって、参加者はただそれに従って会議を進めればよいとも考えてしまいがちだ。その結果、本質的な深い議論がしにくくなることもある。このため、アジェンダはあくまで、議論が本題から離れないようにするための、枠組みのみを提供するものにしよう。

同じく、最初の議題に関する決定がなされたら、すぐに次の議題を提示しよう。アイデアを具体的なステップにまで煮詰め、決めたことを達成するために、担当者、スケジュール、条件を明確にしよう。

各ミーティングでは、年間スケジュールを確認することも大切だ。特に、従来型の戦略思考から（あるいは戦略思考をしていない状態から）、ダイナミックな戦略マネジメントに移行する場合は重要だ。

意思決定や合意形成をするまでの期限を設定すると、参加者の積極性を高めやすい。参加者は、普段、時間の制約のなかで仕事をすることに慣れているからだ。また、期限を設けることで、参加者の前向きな態度や、楽しさ、競争意識なども引き出せる。時間も効率的に使える。セッションが魅力的なものになり、今後のセッションに参加しようという参加者の意欲も高まる。

［課題］会議を魅力的にする13ステップ

セッションの実施前に、参加者がその準備をし、意欲を高めておけるようにしよう。会議の開催前から、戦略について会話をするようにしよう。ダイナミックな戦略は、日々の活動を通じて形づくっていくものなのだ。

1. 質問

事前に参加者全員に「ストラテジー・クエスチョン」（270ページ）を読み、答えを書き出すように要請しておく。参加者が最も高く評価している会社やブランドも書き出してもらう。

2. セッションの準備

セッション中に参加者グループが必要に応じて参照できるように、経営に関するデータや従業員の意識調査の結果、財務・業績、予測情報などを集めよう。重要な競合企業についての情報も収集しておこう。

3. ウォーミングアップ

まず、参加者に〝考えさせる〟ことから始めよう。ウォーミングアップの目的は、参加者に〝思考モード〟に入ってもらうところにある。これは普段、活気のない会議でただ自分の順番が来たときに業績を発表することに慣れている人にとっては、簡単ではない。

4. リクリエーション活動の選択と実施

セッションでは、リクリエーション活動を取り入れよう。手の込んだものでも、シンプルなものでも構わない。たとえば、ジャグリングや、紙飛行機づくり、クイズ、ダンス、ヨガなどだ。自分で考案する人もいるし、ブレインストーミング関連の書籍を参考にする人もいる。プロのエンタテイナーやファシリテーターを雇って、印象的なパフォーマンスをしてもらう場合もある。少々やり過ぎだと思うかもしれないが、新しい考えに対して心を解放するためには、フレッシュな経験をすることが一番だ。参加者がそのプロセスを楽しめば、効果はさらにあがる。スマートな企業は、この点を理解している。

できれば、必要な数以上の活動を準備しておこう。セッションで適時にこれらを活用することで、参加者に良い刺激を与えられる。セッションでは、ストラテジー・クエスチョンの答えを考え、グループ内で議論する。リクリエーション活動をこれと結びつけるとなお良い。

5．目標と質問への集中

ウォームアップの後、セッションの目標についての簡単な議論に移ろう。セッションで達成したいことは何かを明確にする。目標の数は、3〜5個程度にしよう。参加者には、双方向のオープンな雰囲気のディスカッションを促そう。

目標を決めるのは、参加者グループのリーダーでなくてもいい。この議論には、リーダーもチームのメンバーとして参加すべきだからだ。リーダーは、目標を決める際に、それに必要な資源があるかどうかについての判断を行う。

6．ストラテジー・クエスチョンを壁に貼り出す

これらの質問が、議論の枠組みになることを明確にしよう。また、戦略の進捗と可能性を見直し、計画とパフォーマンスを改善していくうえでの基盤にもなる。

7．現在地はどこか？

会社の現状についての最新情報を社員に伝えることは大切だ。社員は基本的な情報を必要としている。また、会社から情報を提供されることで、〝それについて社内で自由に話し合ってもよい〟という空気も生まれる。フォードのＣＥＯは、シンプルな真実をありのままに話すことの必要性を明確にした（257ページ）。アップルのＣＥＯは、同社が世界

を変える使命を持っており、そのためのアイデアを社員に求めていると言った。

8. どこに行けるか？（何が可能か？）

参加者のグループは、各種の情報を参照しながらこの質問の答えを考える。会社の戦略グループからの新たなアイデアや、他の業界の事例を参考にしてもいいだろう。参加者がさまざまな可能性を自由に探り、新しいモデルや事例の採用を検討するよう促そう。この質問には正解はない。ポイントは、参加者に現状を改善し、積極的に前進しようと思ってもらうことだ。会社が進めるあらゆる方向性を、想像力を駆使して考えることも大切だ。

9. どこに行きたいか？（目標は何か？）

前項の「どこに行けるか」の質問の答えを、さらに一歩踏み込んで具体的に考える。ただし、どの方向に進みたいかについて考える点では、本質は同じだ。参加者は、すべての選択肢のなかから、進みたい方向を選択する。個人やサブグループに分かれてさまざまな方向性や目的地、ミッションを検討し、最も価値があり、意欲が高まると思われるものを選ぼう。会議に十分な時間があれば、具体的な行動も検討しよう。望ましい戦略目標と、信頼できる戦略計画を考えることで、参加者はその結果として何が得られるかを理解しやすくなる。

10. 何を変更すべきか?

前の質問の答えをもとにして考える。参加者は、会社(またはチームやグループ)の現在地と目的地を比較する。現在のポジションと望ましいポジションの違いを探ろう。グループは個々の意見を書き出し、それらをまとめて変更すべき点のリストを作成する。

11. どのように変更すべきか?

CEOが、社員に〝私たちは変わらなければならない〟とメールで伝達したとしても、変化が自動的に生じるわけではない。参加者のグループは、2種類の変更について考えるべきだ。1つは、自らの手でできる変更だ。自らが行うさまざまな決定や、購入すれば済むもの以外のすべてが含まれる。もう1つは、他者の行動や支援が含まれる変更だ。

通常、重要なのは後者の変更だ。他者が関わる変更はさまざまな影響が生じやすく、それだけに慎重に考慮しなければならない。いつ、どのように変更するか、他者に変更を依頼するかをよく考えよう。戦略を真に成功させるには、行動だけでなく、それに関わる人間の知的、感情的、創造的なコミットメントが不可欠だ。

これは、きわめて現実的な議論にもなる。変更を成功させるためには、その詳細が必要だからだ。変更を実現するための、「何を」「誰が」「どのように」「いつ」を考えよう。

12. どう進捗を測るべきか？

決定した変更を実施することも進捗を測る基準になる。だが、それだけではない。全体的な戦略目標に近づいているかどうかを把握するための、少数の基準が必要だ。これらの基準は、目標のソフト面とハード面を反映するバランスがとれている（308ページ）と同時に、進捗をはっきりと把握するための正確さも求められる。

13. 次は何か？

各セッションでは、いくつかの質問を、それぞれ異なるレベルの詳細で検討していく。セッション全体の勢いを保つために、各セッションでは次のステップについてのはっきりとした合意を形成してから終わることが重要だ。これらのステップは全体的な戦略と変更に貢献し、短期間（数日から長くても数週間以内）で正確に、かつ担当者と期日を明確にする。

［成功の基準］　進むごとにプレッシャーの減る会議

成功の基準はさまざまである。基準は、問題に費やす時間の量、関わる人、戦略マネジメントのプロセスの段階によって変わる。

参加者グループは、会社の現在のポジションと、問題の重要性と目標を十分に理解する。ストラテジー・クエスチョンが、どう結びつくかについても理解する。何を達成したいのか、それを可能にするにはどうすればよいかを、十分な時間をかけてさまざまな視点から考える。

戦略家として考えることは、知的な重労働になる。そのため、生産的なセッションの後に、参加者は疲労を感じることもあるはずだ。セッションが始まる〝前〟に、この種の疲労は自然であることを伝えておこう。疲れることが事前にわかっていれば、それだけセッションが実りあるものになったと実感しやすくなるはずだ。参加者がセッションの途中で、「自分たちは懸命になっている」と実感するのは良い兆候だ。

戦略は、知的かつ感情的な楽しみでもある。優れたセッションは、笑いを伴う。参加者はストラテジー・クエスチョンに答えていきながら、安堵感と、プレッシャーが減っていくのを感じるはずだ。参加者グループは1つの集団として機能すべきだ。ストラテジー・クエスチョンに答えながら、部門や立場を超えてチームワークを構築していくだろう。

チェックリスト

□戦略会議を、戦略プロセスの一貫としてスケジュールに組み込んでいる。
□会議の参加者全員が、ストラテジー・クエスチョンを検討している。

□戦略会議に、思考を促す仕組み（リクリエーション活動など）が含まれている。
□ストラテジー・クエスチョンに答えることで、セッションの成果があがるようになっている。
□戦略ツールが、議論の具体化と明確化に使われている。
□会議の終わりには全員が意欲に溢れ、次にすべきステップが明確になっている。

［落とし穴］一歩間違うと、イラつきや退屈につながる

戦略会議では、参加者の感情を刺激するようなデリケートなテーマを扱うことが多いため、利害の対立する者同士が関係を悪化させてしまいがちだ。対立が水面下で起きる場合、物事を決めたり、自由に意見を交わしたりする雰囲気を損なうような、微妙なかけひきがなされることもある。対立が表面化すると、大声で口論したり、公然と相手の行動を妨害しようとしたりする。

幹部が参加しているために、参加者が萎縮して意見を自由に言えず、有意義な議論ができない場合もある。議論自体は盛り上がるが、内容が漠然としすぎていて、フォローアップの行動が決定されないこともある。どちらも、時間と労力を投じた参加者にフラストレーションを感じさせる会議だ。

過去の戦略会議で苦い経験を持つ参加者もいる。退屈な会議に何度も参加したことで嫌気が差していたり、解雇などのネガティブな結果をもたらした会議に良い印象を持っていない場合もある。過去に戦略に多大な労力を投じた経験があり、再び同じことをするのを躊躇している人もいれば、戦略を批判や数字への執着と結びつける人もいるかもしれない。

まとめ

◎戦略会議では、「拡大」「現状維持」「衰退」など、会社全体としてのポジションを考慮しよう。会社がどのような種類の戦略的課題に直面しているかを把握する。どのようなタイプの会議を開くべきか、戦略的に考えてみよう。

◎ミーティングの開催前から、戦略の話をしておこう。参加者は事前にストラテジー・クエスチョンの答えをそれぞれ考えておくのが理想だ。また、セッションをどうすれば生産的なものにできるか、日頃から他の参加者と会話をする。

◎セッションの時間は長くとる。すべてのストラテジー・クエスチョンに2時間で答えようとしても、生産的な結果は期待できない。少なくとも2日～1週間ほどかけてじっくりと行おう。反発もあるかもしれないが、時間をかければそれだけ多くの成果が得られることを理解してもらうよう努める。どうしても時間がない場合は、各セッションの目標の範囲を限定し、そのなかで確実に結果を出すようにする。

◎各セッションの終わりには、具体的な行動リストをつくり、セッション全体の勢いをつけ、それを保てるようにしよう。人は、進捗が実感できると意欲が高まる。セッションを重ねるごとに、参加者の積極性も高まっていくはずだ。

◎リラックスしてセッションを楽しむ。場が堅苦しいものにならないように、和やかな雰囲気をつくりだそう。

戦略

22 変化を管理し、戦略を機能させる

戦略には変化がつきものだ。戦略を実現するためには、行動を変えなければならない。戦略は、行動やタスク、プロジェクトに落とし込まなければならない。

戦略のロジックと目標を伝えることで、社員がその実現に積極的に取り組むようにすることも必要だ。

［使用すべきタイミング／頻度］
年に１回正式に、加えて継続的に。

［主な対象者］
自分と組織。

［重要度］
★★★★★★

マクドナルドのブランドイメージはかつて、不健康、不衛生、不便、安物、非倫理的、流行遅れなどを連想させるものだった。新CEOはこれに対処するための新戦略、「Plan to Win（勝つためのプラン）」を提案した。戦略の内容は、社員全員に何が必要かを伝えるため、シンプルに1ページにまとめられた。同社のミッションは、〝最高のファーストフードレストラン〟から〝食事をするお気に入りの場所と方法〟に変わった。

明確な戦略変更は、目に見える変化を生んだ。マクドナルドは、単なる拡大戦略ではなく、顧客体験の改善を重視した。健康的な商品、上質のコーヒー、他のカフェチェーンを凌ぐインテリア、無料WiFiサービスなどを導入。他社は追いつくのに苦戦を強いられるようになった。この戦略で同社は8年連続の売上成長を果たした。この変革が成功したのは社員全員が納得し、行動への動機づけとなる明確な戦略を打ち立てたからだ。

［目標］社員を戦略に共感させる

戦略は変化を伴う。競合企業やテクノロジー、顧客に適応していかなければならないからだ。戦略を変えても、会社を変えられなければ、戦略は無駄に終わる。会社は、「成長や繁栄を可能にするであろう方法で状況に適応すること」に失敗してしまうだろう。

マクドナルドの例は、戦略の変更における、明確さの重要性を示している。変化を実現するのは社員だ。社員は、自分たちに何が期待されているかを自覚し、戦略の方向性に共感すると、力を発揮する。

［背景］変化に対応するには、戦略の共同作業が求められる

もっともなことが書かれていても、読むのが退屈な戦略がある。斬新なアイデアを謳《うた》っていても、現実味が感じられない戦略もある。あまりにも複雑で長大なために、読むだけで相当の時間をとられ、行動をする暇がないような戦略もある。曖昧すぎて、具体的にどう行動してよいのかわからない戦略もある。

戦略の策定前に、人々を関与させることは効果的だ。1人でこっそりと戦略をつくり、その後で数カ月かけて社内の合意を求めていくという場合もあるだろう。だが、その数カ月を、周囲の人たちとアイデアを出し合い、ともに戦略をつくりあげていくことに使うほうがはるかに効率的だ。

・戦略の立案に、どれだけの人を巻き込めるか？
・社員は立案中の戦略の内容について、どのような意見を持っているか？
・戦略を伝える最も単純な方法は何か？
・戦略へ積極的に関わってもらうために、社員を触発する最も効果的な方法は何か？
・戦略を形式的なものでなく、現実的なものにするためには何が必要か？

戦略が必要とする変化の規模や性質を考慮に入れることも重要だ。変化には、大きなものも小さなものもある。進化や大変革を伴うものもある。ポジティブなものもネガティブなものもある。雇用を増やすものも、減らすものもある。新しい技能や行動を必要とするものもある。組織のさまざまな部門による、さまざまな方法での関与が求められる場合もある。組織の外側への注目が求められるものも、内側への集中が求められるものもある。

変化は考え方の違いから生じる。考え方が違えば、変化への反応も異なる。誰しもが同じように変化を歓迎するわけではない。そもそもこうした違いがあるからこそ、変化の必要性が生まれるのだ。この違いが、さまざまな結果を形づくる要因になる。

利害関係の異なるグループには、対立が生じやすい。将来の計画についての意見が一致しない場合もあるだろう。何をすべきかがはっきりしていないため、具体的な行動が何もとられないこともある。同じ戦略について、得をしたと考える者と損をしたと考える者がいるケースは、社内で頻繁に見られる。

［課題］戦略は簡潔に、そして多くの人を関わらせる

2つの大きな課題がある。1つは、何を変更すべきかについての議論における無駄を減らすこと。もう1つは、変化を成功させるための正しい行動が確実にとられるようにする

ことだ。

幸い、最善の解決策はどちらの課題にも有効だ。1番目は、戦略を、誰もが簡単に理解できる、明確なものにすること。これは、戦略に貢献すべき方法を社員がはっきりと認識するのにも役立つ。また、戦略に貢献したいという意欲も高めやすくなる。2番目は、戦略の立案と具体的な実践に多くの人を関与させることだ。社員が戦略のロジックと可能な選択肢を理解することで、戦略には命が吹き込まれる。

周囲の意見に耳を傾けることも重要だ。変化への反発の声を聞くことで、強化すべき弱点や埋めるべきギャップを早い段階で明らかにできることもある。戦略的思考は、継続して行うべきものだ。周囲の意見は、自らの視点を洗練し、疑うことに役立つ。

もう一方では、変化を切望する組織を育てることも課題となる。その組織とは、安定し、生産的で効果的ではあるが、柔軟かつオープンでもあり、変化を積極的に求める組織だ。良い変化が歓迎される社風があれば、問題があると判断されない限り、社員は変化を積極的に受け入れようとするはずだ。また、このような組織のなかで、ある変化の評判が良くなければ、その内容を再検討すべき兆候だと言える。

［成功の基準］戦略にシンプルな原則が生まれる

戦略は通常、変化への要望に対応することから生まれる。この要望は、現状への不満が長い間、積み重なることで生まれる。ただし、変化を実現するには、そのためのコストと労力とのバランスが問われる。現状維持よりも変化を望む気持ちが大きいとき、初めて変化は実現される。

戦略家の仕事は、すでに存在している変化（と改善）への組織内の強い願望に対処することだ。機械的でなく有機的なものになるように、変化を求める力を活用しよう。これによって、社内の人間と対立するのではなく、共同して戦略の実現を目指せるようになる。社内の摩擦は減り、社員が望み、価値を認めているものに取り組めるようになる。

戦略を、成功のために必要な行動を示す5〜7つの原則に落とし込む。このシンプルな原則（と戦略の背後にあるロジック）を、社内に繰り返し伝えよう。反論や不満、フィードバックに積極的に耳を傾け、それに基づいて戦略と行動を修正しよう。

チェックリスト

- □戦略の成功のために必要な変化が何かを明確にしている。
- □社員が、ダイナミックな戦略プロセスに参加している。
- □必要な変化に対してのみ、社員の積極性を促しながら取り組むことで、〝変化疲れ〟を回避している。
- □変化に対する社員の反応を調べる意識調査などを実施している。

□現状の問題点を探し、変化を導入することに積極的な社風がつくられている。

[落とし穴] 複数の変化への対応で、戦略が相殺されることも

変化を導入しても、日常化すると新鮮味が失われやすくなる。変化がもたらした本質的な価値が薄れる一方で、新たに目指すべき変化が生じ始める。2つの変化に相互に矛盾する点があるために、片方が無視されることもある。衝突したり、相互の価値を打ち消したりする場合もある。変化を実現したつもりになっているだけのこともあるし、変化を実現するために必要な労力を過小評価することもある。

まとめ

◎新たな戦略がもたらす変化の規模と性質を考慮しよう。変えなくてはいけないもの、変化の大きさ、影響を受ける人たち、そして必要な人材を考える。
◎外部コンサルタントの力を借りて、将来の変化や戦略の内容、組織の反応などをイメージしよう。
◎戦略の立案と実現に参加させることで、社員が変化の価値を信じられるように

しよう。

◎アニメーションとオリエンテーションのモデルを使って、戦略の内容・伝達方法が、社員の積極的な関与を促すものかどうかを探ろう（302ページ）。

◎フォースフィールド分析を使って、変化と同じ方向の、または反発するフォースを評価しよう（304ページ）。

◎コッターの8つの段階を使って、戦略の立案から導入の完了までの流れを検討しよう。このプロセスを繰り返し行う（306ページ）。

［こんなアイデアも］変化を面倒とする者たち

ハーバード・ビジネス・スクール教授のクリス・アージリスは、自己防御的な行動が組織の変化を妨げる要因になると主張している。異なる集団の個人は、面倒な変化に直面するのを避けようと共謀し、誰もそれを指摘しない。自らの惰性的な聖域が見つけられるのを望まないためだ。

戦略

23

起こり得る問題を理解する

戦略は、さまざまな問題が起こり得る危険性をはらんでいる。たとえば、ポジションや製品の問題点、コスト、差別化、集中のまずい組み合わせなどだ。そもそも、頭のなかで考えた戦略を現実のものとして実現するのは、簡単なことではない。

［使用すべきタイミング／頻度］
初めに理解し、
以降は定期的に検討。

［主な対象者］
自分とチーム。

［重要度］
★★★★

戦略について起こり得る問題をよく理解していることで知られる企業の代表例が、シェルだ。同社は、シナリオプランニング（290ページ）を活用し、石油危機など、想定されるさまざまな危機に備えた。1970年代に実際に石油危機が生じたときにも、同社はそれに賢く（かつ現実的に）対応する準備を整えていた。

だが、多くの企業は、将来起こり得る問題に十分に目を向けようとしていない。あるいは、問題など決して起きないというふりをしようとする。このいわゆる「長い緊急事態」はしばしば、戦略が抱える問題の大きな要因になっている。人は、将来的に何か問題が生じるかもしれないとはわかっていても、恐ろしい未来を直視するのを避けようとする。想像力を使って最悪のケースを考えることにも、あまり時間をかけようとしない。

その性質上、具体的な戦略計画は初めから潜在的な問題をはらんでいる。まず、計画には賞味期限がある。競合企業の動きによっては、計画を実現したときには、戦略（や提供物）が時代遅れのものになっている可能性もある。成功は、計画の初日から時間との闘いなのだ。2番目は、戦略計画によって会社が競合グループ内で極端なポジションに移動することが、自爆装置になってしまう可能性があることだ。3番目は、戦略の成功によって収益が上がった場合、社内に慢心が生まれ、社外の変化に目を向けようとしない、内向きの傾向が生じてしまう可能性があることだ。企業が成功したのちに失墜するとき、たいていその理由はこれらのうちのいずれかになる。

[目標] 戦略の「理想と現実」のギャップを埋める

多くの戦略、特に変化が必要な戦略は、目指していたものを達成できずに失敗する。目標に適していない戦略がつくられることは、簡単に起こり得る。膨大な労力をかけて重厚な戦略文書をつくったとしても、成功が保証されるわけではない。

方向性が不明確だったり、十分に理解されていなかったりする場合、社員を一貫性のある行動に導くことは難しい。任務をこなし、プロジェクトを完了させても、戦略が成功するとは限らない。大切なのは、行動のための明確なロジックと原則だ。これらの原則は、社員全体を導くガイダンスとなり、戦略によって求められている行動が何かを示すことができる。

戦略の成功は、その実現に取り組む人々のコミットメントにかかっている。戦略の価値を信じていなければ、社員が積極的に行動することはない。戦略に触発されていなければ、社員は創意工夫をもってベストを尽くそうとはしなくなる。書類だけで完成する戦略はない。戦略を実現するためには、従業員やパートナー、顧客による、創造力を駆使した積極的な取り組みが不可欠だ。

会社の方針に反対しているからではなく、部門や個人的な保身のために戦略に反発する人もいる。これらの人々は、あの手この手を使って戦略に抵抗しようとする。自らの仕事を優先し、戦略に即した行動から目を背けようとする。言葉や行動によって、戦略の実現を妨げようとすることもある。

逆に、社員から肯定的に受け止められていても（これはあるべき姿だ）、スキルが不足しているために失敗に終わる戦略もある。社員がどれだけ懸命に働いたとしても、その方法が不十分であれば、戦略を実現することはできない。

また、社員が肯定的にとらえ、それを実現するための能力があったとしても、規律が不足しているために失敗する戦略もある。戦略は、不十分または不適当なプロセスによって失敗する。資源不足によって失敗することもある。戦略の立案と実行を指揮する側の人間にこのような理解が欠けていることが、理想と現実の間にギャップを生む大きな理由だ。

［背景］間違った方向性の戦略はいくらでも生まれる

ある戦略上の方向性が、絶対に正しいとは限らないし、望む結果を得ることも保証できない。この本で、創造的な戦略策定と、問題に反応しながらの計画実行の重要性を強調してきたのも、そのためだ。それでも、何らかの行動をとらなければ戦略は実現できない。全体としての行動に一貫性がなく、非生産的な場合、戦略の効果は薄れる。

戦略が辿り得るいくつかの悪い方向に注目することは重要だ。以下の状況を想定し、何が起きるかを考えてみよう。

・市場規模の見積もりを誤った。
・計画に関連するコストを過小評価していた。
・パートナーのサポートを過度に期待していた。
・重要な成功要因と知識を誤解していた。

戦略の正式プロセスに、戦略の前提と進捗の定期的なレビューを組み入れることは効果的だ。これを、継続的な戦略的思考に組み込むことも重要だ。戦略が間違っていた場合、どうすればよいか？　これはパフォーマンスレビューでもあるが、リーダーの考えに潜む問題点も露《あら》わになる。特に次の点を検討してみよう。

完璧な戦略をつくろうとしていないか？

「自分は常にベストな方法を知っている。自分がつくる戦略は成功のための完璧な計画だ」と考えていないだろうか。完璧な戦略の作成に長い時間を費やしたあまり、それを実現しなければ意味がないことを忘れてはいないだろうか。ＣＥＯと大手の戦略コンサルタントが、実現することがまったく考慮されていないような複雑な文書を、多額な費用をかけてつくったケースは枚挙にいとまがない。

戦略をどのように実行しているか？

戦略の内容にも問題がなく、それを実現することの価値も忘れていない。この場合に重要なのは、詳細かつ具体的な計画をつくり、しっかりとそれに従って行動することだ。詳細な行動計画をつくるには、全社的に決定された戦略について、会社組織のそれぞれの階層で有意義な会議を行うことが大切だ。

トップマネジメントのコミットメントを得るには、どうすればよいか？

戦略の実行において、トップマネジメントのコミットメントから得られるメリットの大きさを実感している。このため、戦略の立案時からトップマネジメントを関与させようとする。戦略についてのコメントと、フィードバックの時間を与える。単なる質問や、戦略の内容を変えようとする意見よりも、戦略の実現のためにトップマネジメントから価値ある意見を引き出し、具体的な協力を得るかを重視する。

社員をどのように戦略に巻き込めばよいか？

戦略の実行に際して、社員の声を聞くことは大切だ。戦略を実現するには、社員の参加が不可欠。計画を実行する人間が必要になるだけではなく、戦略の方向性やパフォーマンスに関する意見が得られるという点でも、周りの人間を巻き込んでいくことは重要になる。社員の洞察は、戦略が目指す意図やポジションを見直す材料となり、既存の戦略を大幅に変更するかもしれないほど貴重なものである。

［課題］ ＳＷＯＴ分析で将来のリスクを察知する

戦略を試すために、批判的な目で見たり、さまざまな事態を想定しておこう。この作業には数カ月も数年もかける必要はない。求められるのは経験と創造性だ。

・何が戦略に支障をきたすのか？
・外部環境で生じそうな問題は何か？
・競争力の前提にはどのような問題点が内在しているか？
・戦略の実現の妨げとなる社内の要因は何か？

巻末で紹介するさまざまなツールを用いて、将来のリスクを分析しよう。特にＳＷＯＴ分析（２７４ページ）は、戦略の強み（Strength）、弱み（Weakness）、機会（Opportunity）、脅威（Threat）を知るうえで効果的だ。シナリオプランニングを用いて、将来的に起こり得る出来事とその戦略への影響を予測しよう。

どのような問題が生じうるか?	どのように反応できるか?	どのように準備できるか?

どのような問題が生じるか?

最初に心に浮かんだ問題には注目する価値がある。戦略では、直観力は分析と同じくらい有効だ。数人で作業をし、まず各人が起こり得る問題を書き出し、次に、共通の関心事は何か、少数派の意見としてどのようなものがあるかを明らかにしよう。本書の内容も活用してほしい。特に、66ページのリスクをテーマにした項目を参考にしよう。

どのように反応できるか?

前ページの質問から見えた、潜在的な問題点に対する反応について考えよう。競合企業の脅威にどう対応するか? サプライヤーや供給網に問題が生じた場合は? 製品が予測より売れた場合、売れなかった場合は？　戦略を軌道修正するのは、どのような条件になったときか？　問題が生じた場合に、戦略の計画とプロセスをどのように変更できるか？

どのように準備できるか？

戦略の問題点に気づくためのプロセスを確立しよう。戦略の内容を、迅速に修正できるようにしておくためだ。

戦略よりも、組織の健全な経営と成功のほうが重要だ。長期的なメリットを最優先し、一時的に自尊心を犠牲にすることも厭《いと》わないようにしよう。

［成功の基準］ハイリスク・ハイリターンの戦略をとれる

戦略の実行を進めると同時に、起こり得る問題点を認識し、それに備えておくことは重要だ。柔軟な思考と出来事への対処ができるようになれば、安全性が高まるだけでなく、ハイリスク・ハイリターンの戦略を目指しやすくなる。将来のリスクとその対応策を認識し、現在、組織としてどのような準備ができるかを理解することが目標だ。〝プランB〟は、戦略家の大きな味方になる。

チェックリスト

□戦略が失敗するシナリオをいくつも想定している。
□リーダーシップのスタイルと、戦略の問題点との関係を考慮している。
□起こり得る問題点のリストが、社内で共有されている。
□将来の問題点への備えをしている。
□組織は、将来の変化に対応する準備ができている。
□戦略に、問題を回避するための工夫が盛り込まれている。

［落とし穴］用心深さもほどほどに

物事が悪い方向に進むかもしれないと考えることが、強迫観念になることもある。不安が増し、問題が起きるのをできる限り避けようとする。そしてこの種の考えは、良くない結果を導く。用心深くなりすぎて、成功のチャンスを逃してしまうかもしれない。問題をただ避けようとすることも、備えを何もしないのも、どちらも簡単に陥ってしまいやすい状態だ。大切なのは問題に適応・反応できるように、柔軟性を保つことだ。

まとめ

◎戦略が進むかもしれない悪い方向を考えよう。会議でも、起こり得る問題点やマイナス面を検討することは、戦略を機能させるために不可欠だ。
◎将来発生するかもしれない問題を、多角的に想像しよう。政策の変化や市場をとりまく状況、天災が生じた場合に、戦略にはどのような影響があるだろうか?

［こんなアイデアも］戦略を左右する本当の実行力

ラリー・ボシディとラム・チャランは、共著『経営は「実行」』(日本経済新聞出版社)のなかで、戦略の成功と失敗を分けるものは、実行力だと主張している。人、戦略、オペレーションは、密接に結びつかなければならない。重要なのは、対話、誠実さ、現実主義だ。ただし、この考えは、実行への強迫観念をも招き得る。間違ったことをいくら実行しても、正しい結果は得られない。

戦略

24

会社を倒産から救う

組織は倒産する。しかし、それは必然的なものではない。良い戦略は、倒産を防ぐために大きな役割を果たせる。また、直面したリスクを回避することにも価値ある貢献ができる。

そして優れた戦略は、倒産とはある意味で不可避のものであると同時に、何度も乗り越えられるものだということを前提にできる。会社を倒産から救うことは、当たり前に生じる状況なのだ。

［使用すべきタイミング／頻度］
定期的。

［主な対象者］
まずトップマネジメントから。

［重要度］
★★★★

フォードは危機に直面していた。売上高は従来と比べて25%も落ちた。それは会社史上、最大の低迷だった。負債は莫大で、同社の信用度は失墜。自動車1台当たりの利益は少なく、同社は黒字化まで5年かかると発表した。

そんななか、ボーイングの業績を回復させた実績を持つアラン・ムラーリーがフォードの新CEOに就任した。フォードの再建は、ムラーリーのそれまでの経験が試されるものであった。初めての会議で、ムラーリーは他の幹部のプレゼンテーションを聞いた後に立ち上がると、「皆さんは、会社が金を失っていることを本当に理解しているのか?」と言った。このオープンで直接的な質問が、それまで同社が長い間先延ばしにしていた、厳しい決定を下す決め手になった。同社は政府の支援を断り、コストを削減し、パートナーシップを構築し、非中核事業を売却した。1年以内に、フォードは7億5000万ドルの黒字回復を果たした。

[目標] 外部の変化に適応する能力を身につける

戦略の目標のなかでも、倒産しないようにすることは特に重要だ。それでも、組織は絶えず脅威に直面する。他社に先手を打たれ、過酷な価格競争を仕掛けられることもある。新規参入者や代替品も、従来の方法で競争をする組織にとっての脅威になる。だが最大の脅威は常に、外部環境の変化に適応できるかどうかという組織の能力にある。

外部環境は、組織の生き残りを難しいものにも、簡単なものにもする。環境は速く変化することもあれば、混沌とすることもある。しかし、組織の成功と失敗が決まる最終的な要因は、外部環境ではない。それは、組織が外部環境に適応する能力によって決まるのだ。だからこそ戦略家はこの能力に注目しなければならない。

業績回復を目指すうえで、組織は選択を迫られる。典型的なのは、「同じことをするが、方法を変える」と「方法は同じだが、何をするかを変える」だ。実際はこの2つは密接に結びついていることが多く、両方ともしなければならないケースがほとんどだ。

［背景］企業が倒産する兆候は、気づきにくい

すべての企業には、「倒産するかしないか」の境界線がある。そのポイントを越えると、もう回復はできないという一線だ。それがどこかを正確に明らかにすることはできないかもしれない。だが、この境界線は、受容できる業績下のどこかに潜んでいる。危険の兆候はあっても、認識されないことがある。それに気づく能力がないか、気づいてもその意味を理解できないからだ。倒産の境界線を意識し、そこに近づかないように注意しなければならない（次ページの図を参照）。

危険の兆候があっても、何もなされない理由はさまざまだ。業績の問題を、一時的なものにすぎないとして無視する。問題を認識していても、対処策や業績悪化の理由がわから

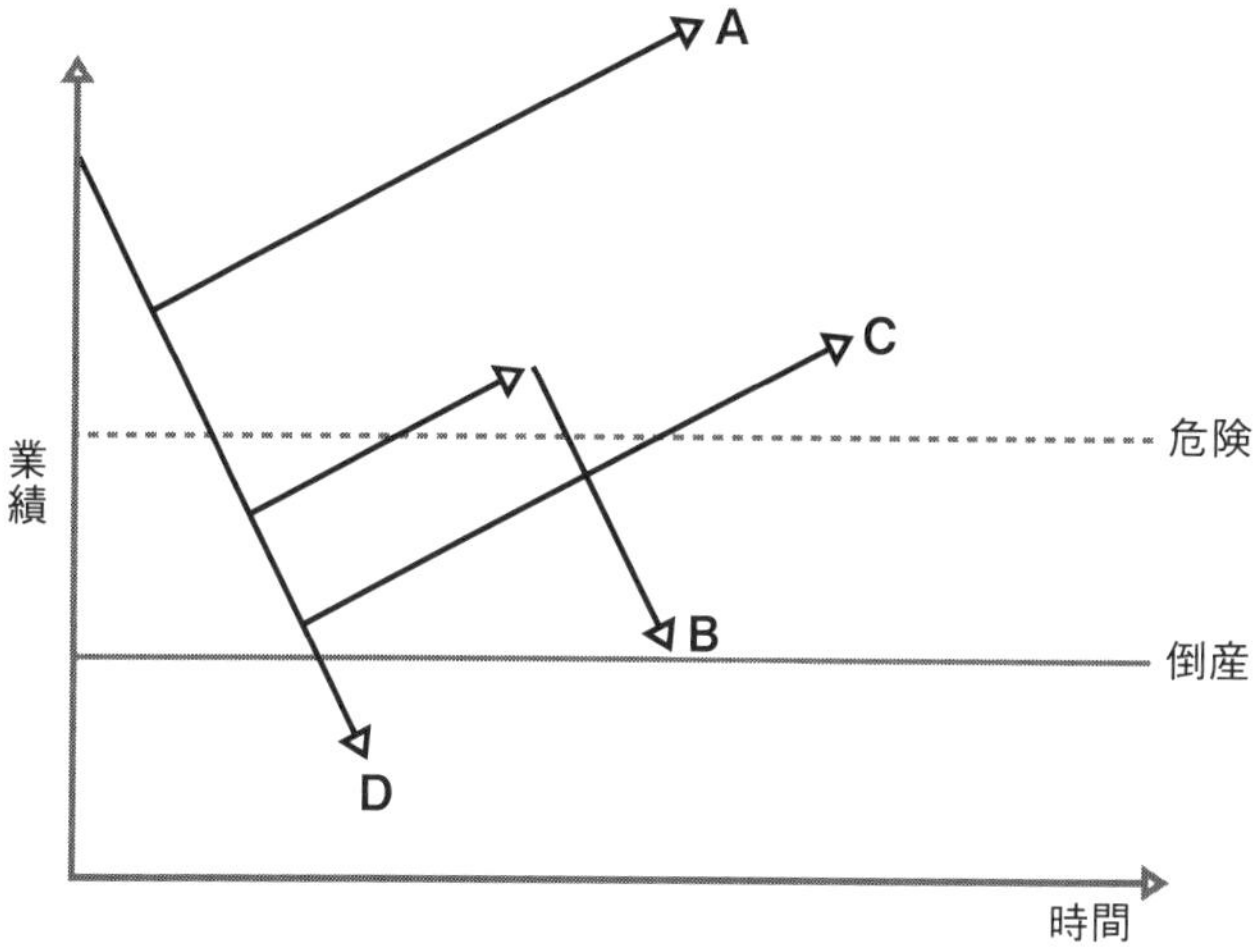

ない。理由はわかるが解決策がわからない。解決策はわかるがそのための厳しい決断を避けようとする。（上図・D）

迅速かつ根本的な回復

問題を認識したら、すぐに解決策を探し、実行しよう。迅速な回復が可能になり、危険地帯に入り込むことを回避できるかもしれない。業績悪化の原因を短期間で解明し、変更が緊急に必要であることを周囲に説明できなければならない。（上図・A）

表面的な回復

ある時点で問題に気づき、対策を開始するのは良いことだ。だが、その対応が表面的であったり、重要な決断を先延ばしにしたりした場合、問題は舞い戻ってくる。そしてその時点では、問題に気づいた時より

も時間と資源が少なくなっている。（前ページ上図・B）

遅く、根本的な回復

問題に気づいてから時間が経ち、相当深刻な事態に陥らなければ、会社が必要な決断をし、社員が変革に取り組まない。その代償は大きいが、このような企業文化の会社は、そこまで追い込まれなければ、重要な改善には取り組もうとしないものだ。（前ページ上図・C）

［課題］倒産の〝警報システム〟で迅速な対処を

まずは、脅威に気づくこと。組織のパフォーマンスを認識し、業績に影響を与えるかもしれない外部の変化に気を配る必要がある。巻末の戦略ツールキットを使って、早期の〝警報システム〟を構築しよう。

・会社を倒産に追い込む脅威には、どのようなものがあるか？
・会社には倒産の兆候を察知する仕組みはあるか？
・市場には代替品や新規参入者が存在しているか？
・重要な決断を先送りしていないか？

・顧客は製品／サービスについて、どのような意見を言っているか？

早い段階で危険に気づくことができれば、少なくとも素早く反応するチャンスは得られる。日常的に改善に取り組んでいれば、この反応をそれに取り入れ、業務の一部にできる。社内外の出来事を敏感に察知できるようにすることで、問題が悪化する前にそれに対処できるようになる。

組織にとって脅威となる大きなショックに、迅速に対処しなければならない。フォードの例では、長期的な問題、〝長い緊急事態〟、不景気に関連する業績悪化などが組み合わさり、ショックの原因になっていた。戦略家は、想定内の脅威と、想定外の脅威の両方に会社が対処できるようにしなければならない。社内のメンバーで、それぞれのタイプの脅威にどう対処すべきかを考えよう。

・拡大のスピードが速すぎないか？　あるいは停滞していないか？
・財務管理は適切か？
・社内の官僚主義が行動の妨げになっていないか？
・革新的な、あるいは急成長している競合企業はどこか？
・世の中のニーズによって、製品／サービスにはどのような変化が求められているか？
・従業員調査の結果からは、どのような傾向が見られるか？

・効果的なマネジメント能力はあるか？

対応すべきタイミングを知るためには、トリガーが必要になる。この仕組みは、マネジメントやコントロールのシステムに組み込むこともできる。バランスト・スコアカードを使うと、財務指標以外の情報から、迫り来る脅威を検知しやすくなる。倒産は、社内外の状況や変化に適応しないことで生じる。社内の問題も外部環境と同じくらい重要だ。

脅威に反応することは、その次の重要な段階だ。問題を認めず、直視しようとしなければ、対応のための行動を誰もとらなくなる。脅威について最初に声を上げる人が、無視されることもある。物事を悲観しすぎている、難しくとらえすぎると批判されるかもしれない。社内で最初に脅威に気づいたら、いつ、どのような方法でそれを周りに伝えるべきかをよく考えなければならない。

反応の方法によって、脅威の影響力も変化する。たとえばマーケティングに問題があった場合、それに迅速かつ効果的に反応することで、市場シェアの下落というさらなる大きな脅威が生じるのを避けられる。オペレーションの問題への反応を先送りしていると、それが戦略上の大きな問題になってしまうこともある。

脅威に気づいたとき、マネージャーはまず、最も簡単で安易な、創造性のない方法で反応しようとする傾向がある。それがうまくいかない場合、同じ方法に輪をかけて大がかりなものとして実行しようとする。そこでも、創造的な解決策はあまり模索されない。マネージャーは、状況をコントロールしようとする。それが、自分たちが知っている方法だからだ。それでもダメなら、コストを削減しようとする。

奇妙にも、脅威が大きくなり、業績が低下すると、会社は必要な行動をとらなくなる。つまり、脅威に適応したり、業績回復を目指したりするための直接的な行動を避けるようになることがある。最も優秀な従業員は、見切りをつけて会社を去るかもしれない。自己弁護やスケープゴートを探しながら、会社に留まろうとする者もいる。このような状況になっても、創造的で直接的な問題への反応はなされない。

トップマネジメントにとって、自らが決断した方向性と戦略に問題があったことを認めるのは、簡単なことではない。また、彼らがいつものマネジメント手法以外の代替案を自力で見つけだすことも難しい。それまでに結果を出してきた方法でなんとか問題の解決を試みようとする。そもそも、たいていの場合は、他に打つ手を持っていない。

業績をあげること自体が、さらなる業績向上への変化を妨げることもある。現状に満足し、改善を怠る。究極的には企業が破綻《はたん》に向かうこともある。短期的には売上が好調で、トップマネジメントの高給を支払うだけの利益をあげていながら、長期的な戦略面で失敗し、結果的に低迷してしまう企業は少なくない。このような状況に陥った企業は、組織の内外の環境が激変しなければ、バランスをとるための行動を開始しようとしない。

そして、重要な意思決定が下されるときには、リーダーが交代していることも多い。現在のリーダーが、まったく新しいリーダーのように振る舞うほどに、マインドセットを大きく変えることを求められる場合もある。

［成功の基準］　社員全員が現状の課題を共有する

成功の第一歩は、問題を見つけ、よく分析することだ。上手くいっていないこと、とるべき行動について、オープンかつ率直に議論しよう。状況を悪化させている従来の行動と、会社を窮地から救うための新しい行動を明確にする必要がある。

会社を存続させるため、まずは生き残るためにあらゆる行動（法的、倫理的なものを含む）を模索すべきだ。通常、それは財務面の立て直しになる。だが、企業の健全な成長は、コスト削減だけでは実現しない。それまでは目を向けていなかった考え方や行動に注目しなければならないのだ。

問題の内容を、チームではっきりと理解しよう。原因をできる限り明確にし、期限と目標を定めたうえで、解決策を決定し、実行する。このような、はっきりとした定義で再建をスタートさせなければ、失敗は目に見えている。始まりが曖昧ならば、明確な結果は期待できない。

倒産のラインに近づいている場合、最も重要なのは、集中することだ。たとえば、窮地に追い込まれた企業はよく、「多角化への誘惑に抵抗せよ」と忠告される。本当に必要なことに重点を置くべきときに、あれこれと手を広げてしまえば、会社を混乱させてしまう。

新たな市場に挑戦すべきなのは、既存の市場では活路を見いだせないことが明らかで、十分な資金があるときだ。

能力の高いマネージャーを獲得することも、良い解決策になり得る。再建に成功した多くの企業は、トップチームのメンバーを多数入れ替えている。ただし、現在のチームには、それまでに試みる権限を与えられていなかった解決策があるかもしれない。マネージャーを入れ替える前に、まずは自由にアイデアを出し合い、その実行を検討してみることも大切だ。

マネージャーの能力を高めることでも、大きなメリットが得られる。自由な発想での対話を促進することも良い方法だ。コーチングなどを提供する外部サービスを活用し、マネージャーの自信やスキル、戦略的知識を高めて、会社の再建に役立てよう。

資金を得ることは会社が生き残るうえで重要だ。だが、負債を減らすことに最大の優先順位が置かれるとは限らない。大切なのは債権者の信用を勝ち取り、資金を問題解決に投資できるようにすることだ。財務を健全化する方法を見つけることで、負債を減らせるようになることが望ましい。

利益を改善すれば、需要を増やすための取り組みから多くの見返りを得やすくなる。また、さらなる改善のために多くの資金を投じられるようにもなる。

マーケティングとイノベーションの改善も不可欠だ。それは、単に宣伝に費用を投じることではない。マーケティングとは、製品を買う顧客と、製品を生産する会社の間にあるすべてを意味する。
顧客をよく理解し、価値の高い製品をつくることは、成功を持続させ、企業を再建するためのカギだ。

チェックリスト

- □会社の存続を脅かすものが何かを知っている。
- □全員が、危機の兆候に気をつけ、オープンに話し合っている。
- □脅威への反応が遅れることのリスクが理解されている。
- □環境に適応するため、マーケティングとイノベーションが改善されている。
- □失敗を避け、成長を持続させるための基本的なステップを理解している。

［落とし穴］問題解決はトップの独断になりがち

危機に直面したとき、立ち止まって考えることなく、問題の原因となっている方向にそのまま向かってしまうことは簡単に起こり得る。現場から遠く離れた位置にいる幹部からの、トップダウンの指令に従うべきだという忠告を受けるかもしれない。だが、それは間違っている。

たしかに、危機を回避するための原則を全員が共有し、タイムリーかつ明確な意思決定の準備を整えるべきだ。しかし、それはトップの独断であってはならない。

問題の原因を明らかにするため、組織の核心を診断する必要もある。社員の積極的関与と経験も必要だ。周囲の意見に耳を傾けず、問題で頭をいっぱいにしてしまうことは簡単だ。しかし大切なのは、顧客のニーズに応えるための組織改善に集中することなのだ。

まとめ

◎直面している、または直面するかもしれない脅威を探す。その原因と、会社がそれにどう反応できるかを考えよう。脅威はどうすれば認識できるだろうか？その兆候は何で、どのレベルに達したら注意すべきだろうか？

◎業績が悪化した場合に、会社の取る対応を話し合おう。そのために、いま何ができるか？

◎将来起こるかもしれない問題を避けるために、いま何ができるか？　潜在的な脅威について検討し、組織を改善に向かわせる方法を考えよう。

◎精度の高い早期の〝警報システム〟を構築しよう。顧客と社員の声に耳を傾ける。リーダーが最後に実情を知るということにならないように、社員の意識調査、ディスカッション、日常会話、匿名掲示板などを活用する。
・マーケティングとイノベーションを促進する機能を設け、すべてのレベルで変化を積極的に推進し、情報収集と行動で競合企業を上回ろう。

［こんなアイデアも］ホフマンの業績回復への一般的戦略

ドナルド・ホフマンは、業績回復のための一般的な戦略があると主張している。①再構築――トップマネージャーと企業文化を変える。②コスト削減――出費を減らし、資産を売却し、非中核資産を取り除く。③マーケティングと製品を変える――防御的、攻撃的な観点から、需要を増やすことに努める。④再ポジショニング――新しい市場と顧客を見いだす。状況と戦略に合わせ、これらを創造的かつ具体的に組み合わせる。

第6部
戦略ツールキット

戦略ツールや戦略モデルは、実際の戦略と同じものではない。それでも、これらを理解しておくことは、企業戦略の策定と実行に役立つ。これらのツールを本書で紹介してきたさまざまな原則や課題と合わせて使うことで、戦略的思考を効果的に整理・共有できるようになる。

本書では数ある戦略ツールのなかから、次の基準で選定したものを紹介する。第1に、企業の現場で人気が高く、最も使用されているツールであること。第2に、戦略とマネジメントの分野で影響力があるツールであること。第3に、筆者が世界的な大手企業と仕事をするなかで、実際に有用だと実感したツールであること。

ツールはすべて、使いやすい形式で紹介する。チームや部門、組織の戦略的思考を促すことで、大きな効果が期待できるようになるはずだ。

ストラテジー・クエスチョン
～戦略策定の基礎となる強力なツール～

戦略家は、あらゆることに注目するあまり、戦略とは何かという本質を忘れてしまうことがある。また、「戦略はどのような疑問に答えるべきか?」を明確にすることもきわめて重要である。内密なことが効果的なこともあるが、それよりもはるかに強力なのは、社員に戦略が目指すところをはっきりと理解させることだ。戦略を策定する人も、これらの質問を使うことで考えを整理できる。

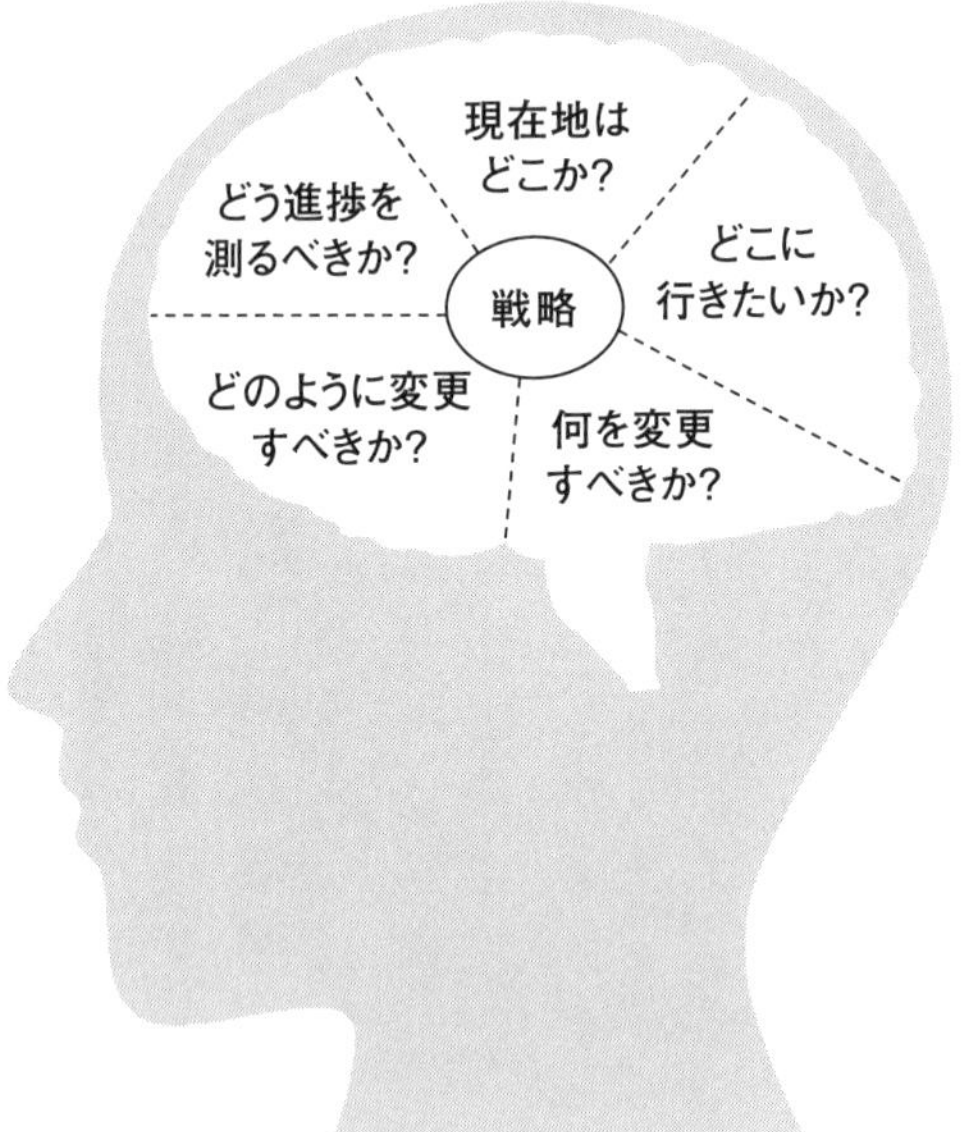
戦略
現在地はどこか?
どこに行きたいか?
何を変更すべきか?
どのように変更すべきか?
どう進捗を測るべきか?

［使い方］

この5つの基本的な質問は、戦略策定のプロセス全体を通じて、絶えず問いかけるべきものである。これらの問いを考えることで、戦略は未来を形づくっていく。

これらの質問を絶えず頭に入れておくようにしよう。質問の答えを一つひとつ導きながら、組織についての考えをまとめていく。戦略的思考をするには、組織の現在地（さらには過去に辿ってきた道のり）を知ることが不可欠だ。そのうえで、次にどこに行こうとしているかを考える。そして、目的地を目指すために必要な変更、変更を実現する方法、進捗の測り方を熟考しよう。

質問への答えには関連性がある。ある質問への答えが変われば、他の質問の答えにも影響する。戦略家の仕事は、全体像を描きながら、これらの質問に答えていくことだ。

質問をしよう

これらの質問に関する情報を積極的に探し、他者に意見を求めてみよう。会社の現在地はどこだろうか？　業界誌やウェブサイトを調べてみる。インターネットで会社名を検索してみる。同僚や顧客と話をしてみる。会社が地域や市場において、価格、品質、独自性などの面で、どのようなポジションにいるかを探ろう。

業界内での会社の評判を知る

業績指標だけでなく、会社の評判も調べよう。ここでも、インターネットや雑誌、顧客や同僚との会話を通じてこれらを探ろう。

ただし今回は、業界のなかで会社が人々からどう見られているかの感覚を得ることを重視する。自分の会社は、業界最高だと思われているだろうか？　2番目か、それとも5番目だろうか？　会社は人々から好感を持たれているだろうか。嫌われているだろうか。会社の成功は望まれているだろうか？　伸びている企業だと思われているか、落ち目だと思われているか。未来は明るいか、それとも暗いか？

将来と社外に目を向ける

会社が進むであろう方向について考えよう。この本で紹介したさまざまなツールや課題、そして、このストラテジー・クエスチョンを活用し、戦略的思考を効果的なものにしよう。モチベーションを高める、自分の好きなブランドや事例を集めて参考にしよう。

社内に目を向ける

会社はどれぐらい大きくなることを望んでいるか？　変化を取り入れる体質はあるか？　どのような種類の変化を望んでいるか？　社員は何を話題にしているか？　社内の戦略上

の対立はどこにあるか？　機会はどこにあるか？

これらの質問は、戦略的思考に役立つ。他者に上手く質問できるようになれば、戦略家としての評価も高まるだろう。自らが意見と知識を持つことも重要だ。

SWOT分析

SWOT分析は、ビジネスの世界で最も人気の高い戦略ツールの1つだ。覚えやすく、ロジカルで明確なところも人気の理由だろう。これは全体像を描き、次にすべきことを決めるためのきわめて実際的で効率的なツールだ。

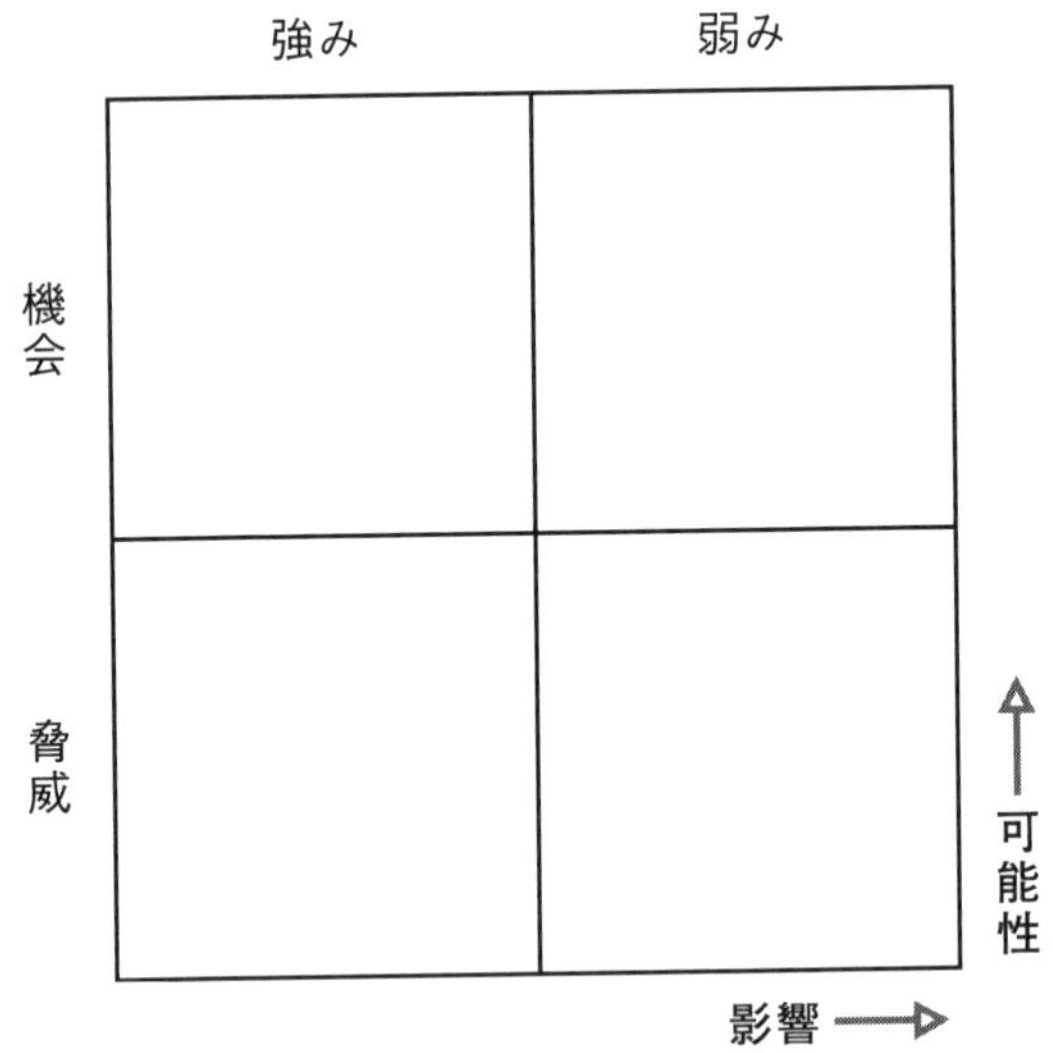

［使い方］

マス目を4つ描き、直面しているチャンスと脅威、会社の強みと弱みをその中に書き込む。ここには、さまざまな人の意見を書き出そう。この時点では、思いついたアイデアを、確実なものでなくてもよいので簡単にリストアップすればよい。最終的な目標は、いくつもの案のなかから、マトリックスの各見出しとして、最も重要だと思われるテーマを見つけることである。

・組織の全体像と外部の状況について、全員で真剣かつ自由な発想でアイデアを出そう。
・4つのマス目のつながりを考える。どのような強みによって、チャンスの活用と脅威の克服が可能になるだろうか？
・書き出した項目に、影響度と可能性を基準にして優先順位をつけよう。
・優先順位をつけたリストを、期日と責任者を決めた具体的な戦略（や計画）に落とし込もう。ＳＷＯＴ分析は、思考を行動に結びつけるのに効果的だ。

ポーターのファイブフォース分析

戦略の背景には競争がある。そこには、買い手／顧客、既存の競合企業、新規参入企業、新製品、サプライヤーの行動で構成される外的な力（フォース）が作用している。このモデルは、これらのフォースを明らかにし、戦略的に対処するうえで役立つ。

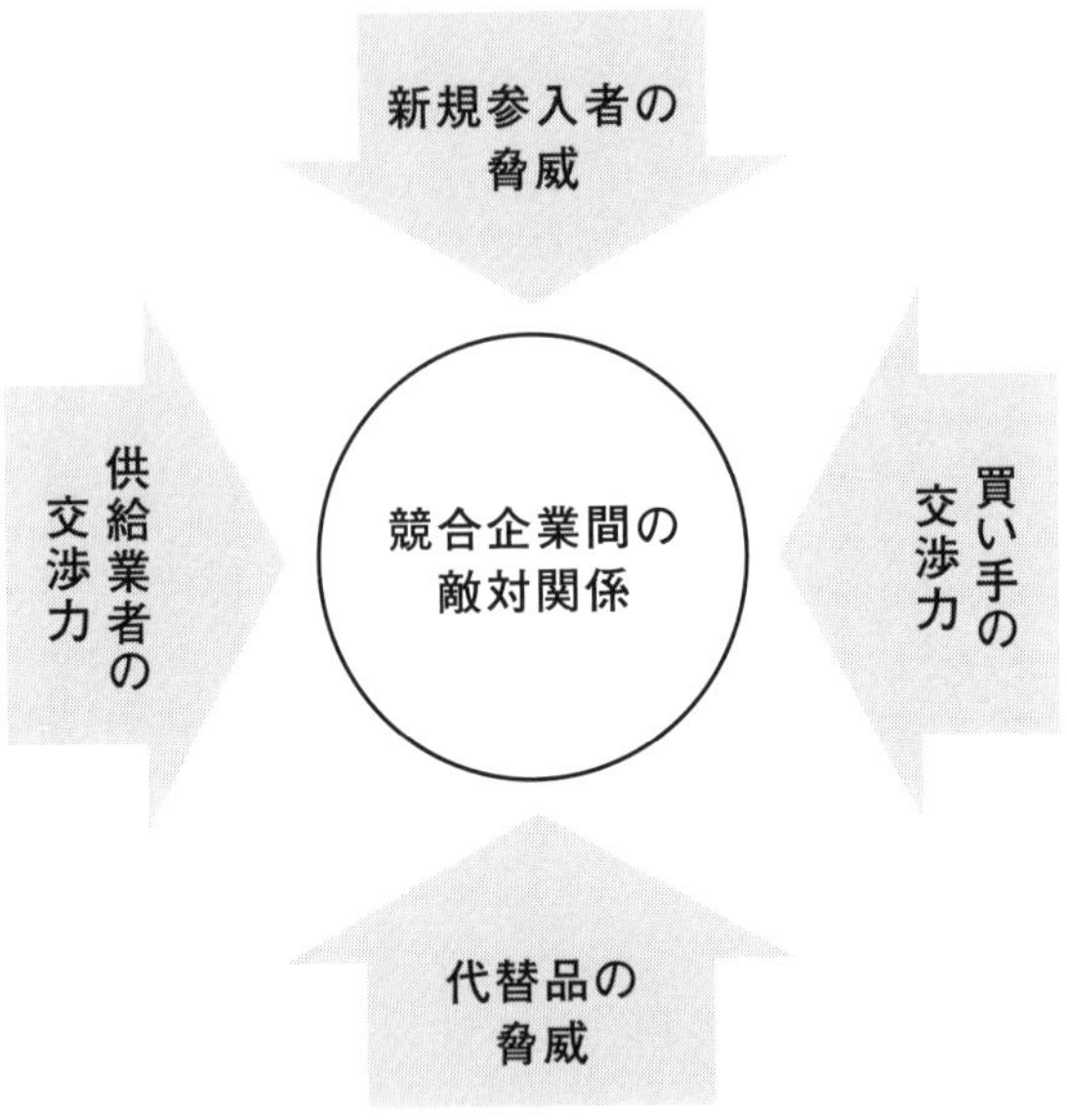

〔使い方〕

グループで作業を行う。まず、全員が見えるように、大きな図を描く。それぞれのフォース（力）がどれくらい大きくなっているか、小さくなっているか、全体で意見をすり合わせる。各フォースについて、グループが直感的に心に抱いている点も図に表すようにしよう。

・あるフォースが増大、または減少している理由を考えよう。参入障壁のレベルや、製品の模倣や代替品の製造の難易度に変化はあるか？
・フォースを会社に有利なものに変えることを検討しよう。パートナーや顧客に、今よりも近づけないか？　代替品の脅威を減らす付加価値を持った機能やシステムを生み出せないか？
・事例を探そう。新規参入企業に対抗する戦略はないか？　新規参入企業との競争をやめると何が起きるか？　フォースが増大、または減少し続ける場合、どのような結果が予測できるか？

ポーターの基本戦略

マイケル・ポーターは、企業が平均以上のパフォーマンスを達成するためにとるべき基本的な戦略は3つしかないと述べている。効率化による「コストリーダーシップ戦略」、ユニークな製品やサービスの開発による「差別化戦略」、ニッチ市場への絞り込みによる「集中戦略」だ。

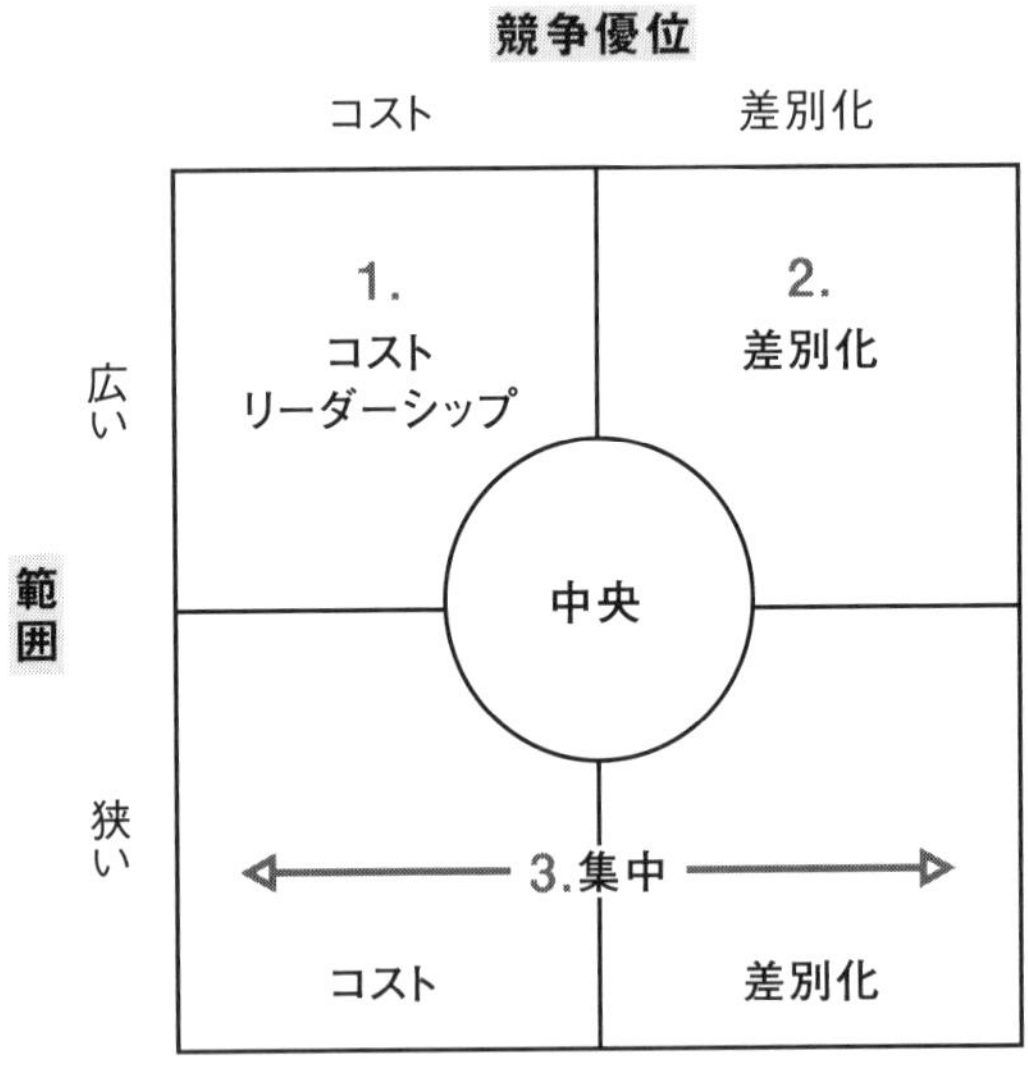

［使い方］

このモデルでは、会社の現在の戦略を、コストリーダーシップ、差別化、集中の側面から分析できる。市場のコストリーダーは誰か？　最もユニークな製品やサービスを持つ競合企業は？　自社と他社は、どのような狭いセグメントに狙いを定めているか？

ポーターによれば、業界内で平均以上の業績をあげるためには、この3つのうちのどれかを選択しなければならない。またポーターは、中央に留まることは良くないとも主張している。ただし歴史的に見て、低コストと差別化の2つを同時に達成した企業が、多くのメリットを得ていることも事実である。このモデルは、コストの削減、製品の差別化、集中のそれぞれのメリットの検討に効果的だ。

3つの競争優位のうち、現在のものから別のものに変えることはできるだろうか？　一般的なルートは、①低コストから、②集中した差別化に移行し、③大量消費市場での幅広い差別化に移行することだ。各段階は、成長のための資源と信頼性を提供する。適切に実行すれば、勝ち目がないと見た競合企業を撤退させることもできるだろう。

バーゲルマンの
戦略ダイナミクスモデル

戦略は何もないところからつくられるのではない。安定した、またはダイナミックな環境のなかで生じる。業界や組織の性質を知ることには、大きな価値がある。

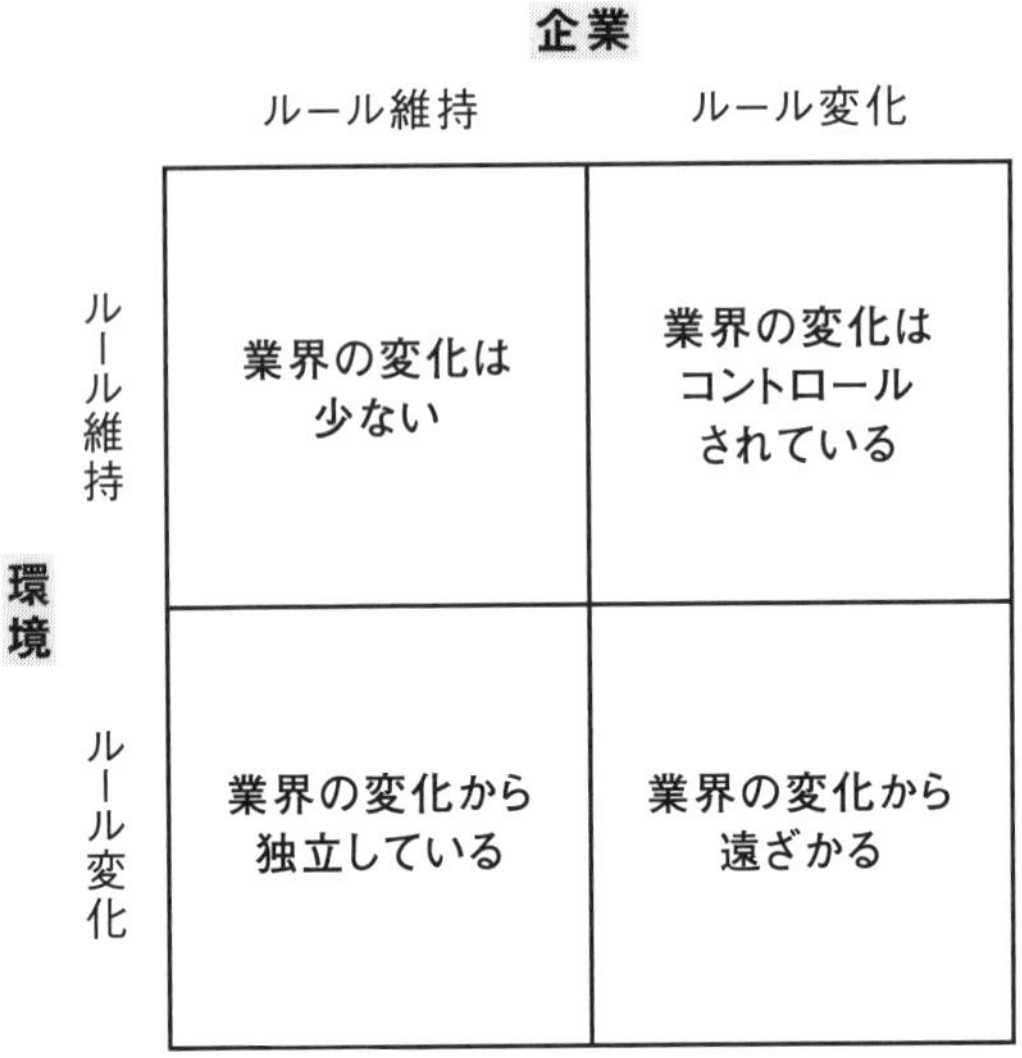

	ルール維持	ルール変化
環境 ルール維持	業界の変化は少ない	業界の変化はコントロールされている
ルール変化	業界の変化から独立している	業界の変化から遠ざかる

［使い方］

このモデルは、戦略が対処すべき環境のダイナミクスの度合いをレビューするのに有効だ。このモデルには、2つのカギとなる要素がある。1つは、業界やその環境の変化のレベル。もう1つは、自社を含む各企業が実現した変化の総量だ。次の点について考えてみよう。

業界ルールの変化のレベル

確立したルールがあり、変化も予測しやすい安定した業界か？　競争対象や基準が明確で、競争が限定的か？　各企業の行動を塗り替える環境の変化はあるか？　業界の構造や規制、テクノロジーに変化はあるか？　新規参入者や代替品は存在するか？

各企業のルールの変化のレベル

競争のルールを変える競合企業はいるか？　新たなビジネスモデルを試している競合企業はいるか？　業界の矛盾や制約を乗り越えようとしている競合企業はいるか？　業界の既定路線に挑もう（変えよう）としている企業はどの程度いるか？　自社はルールチェンジャーになっているか？

ポーターの価値連鎖

競争力は、企業のあらゆる活動とその仕組みによって生まれる。価値連鎖は、組織全体を見る効果的な方法だ。価値連鎖では、企業の活動は主要活動とそれらを支援するサポート活動に分けられる。

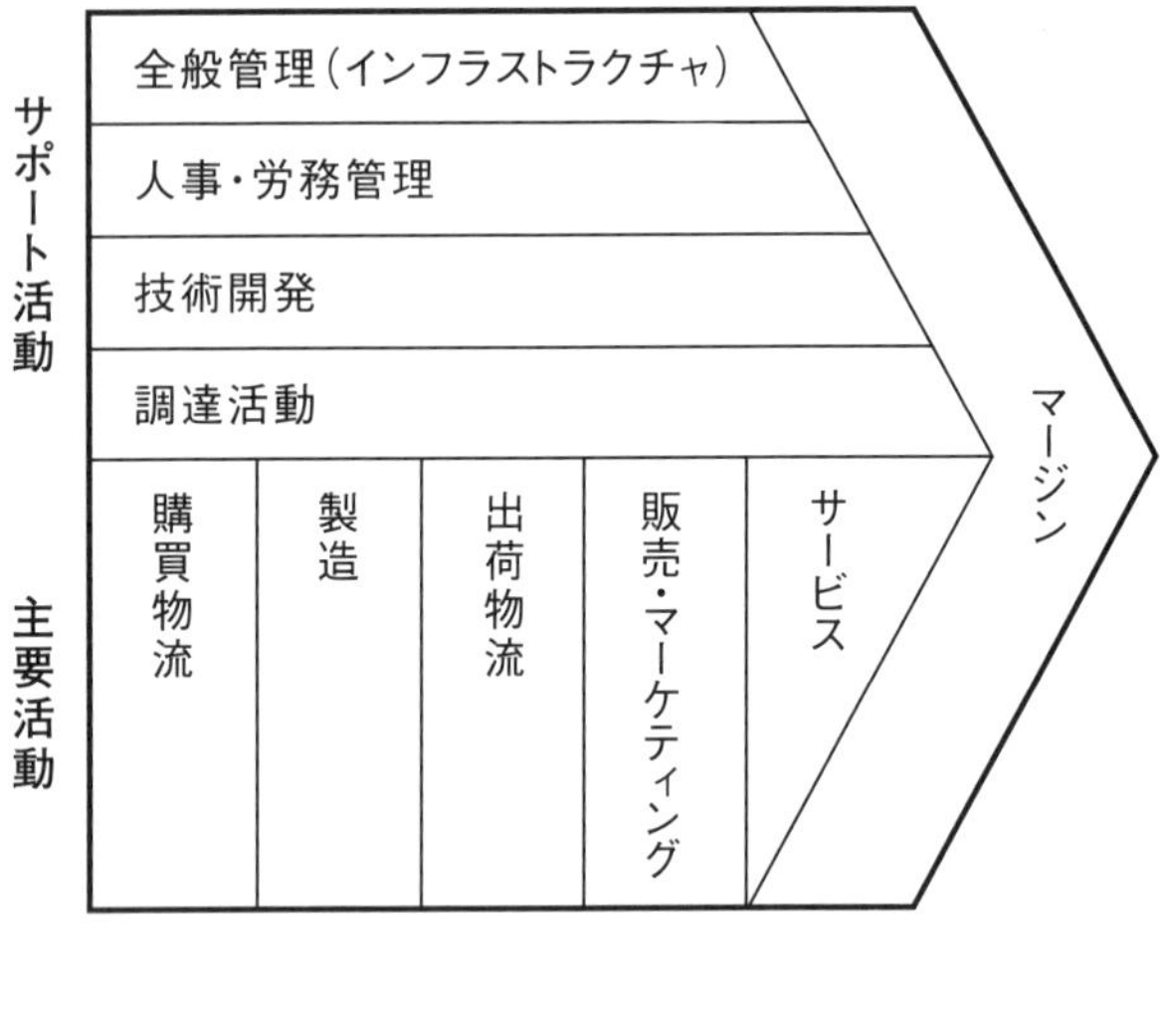

［使い方］

このモデルを、会社が全体的な結果を導く活動の連鎖であると解釈するために使おう。会社の活動を、「主要活動」（製品の製造と提供）と、「サポート活動」（主活動を支える活動）に分け、次の質問について考えてみよう。

・各機能のパフォーマンスはどの程度か？
・異なる機能を上手く組み合わせるために、どのような改善ができるか？
・個々の機能は、業界最高レベルに達しているか？
・競合企業の価値連鎖はどうなっているか？　自社との違いは何か？

個々の機能とその組み合わせが、いかに顧客に付加価値を提供しているかを探ろう。それらがどれほど業績と戦略に貢献しているかを検討し、優れた機能から新たな機会を見いだす。これらはＳＷＯＴ分析を補完し、会社の競争優位に貢献できる。

コア・コンピテンシーと
リソース・ベースド・ビュー

戦略家は、自由に使える資源をよく把握しておく必要がある。スキルや知識、有形／無形の資産の組み合わせや、どう戦略的能力を高めていけるかを理解しなければならない。また、これらの資源を使った機会の創出や目標達成の方法を、想像力を駆使して探ることもできなくてはならない。

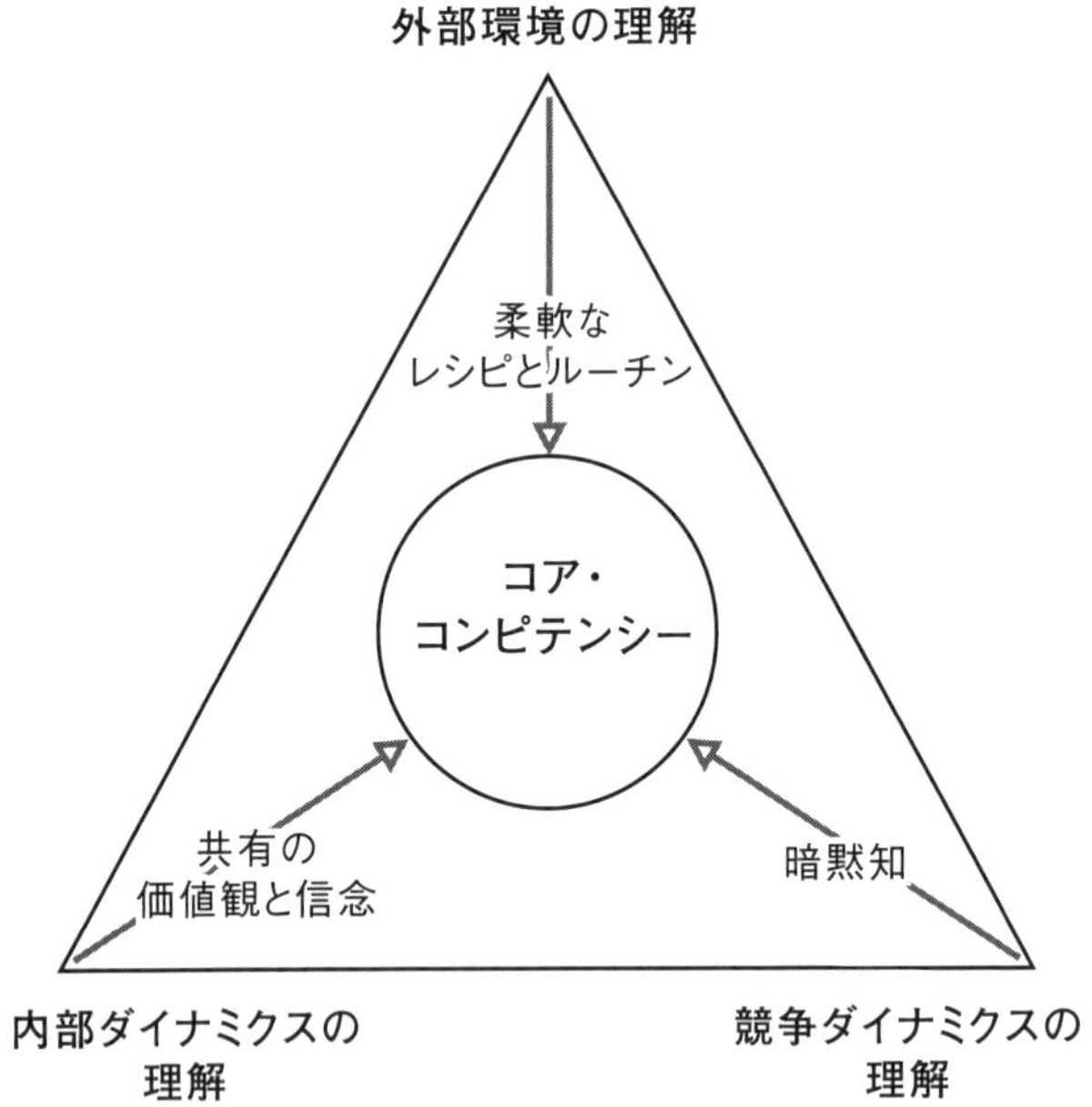

［使い方］

コア・コンピテンシーは、組織の資源と能力の組み合わせだ。これらは、組織の目標達成を支援する能力になるとき、「戦略的資産」と呼ばれることもある。

外部環境の主要素（政治、社会、技術など）を理解しよう。市場や戦略グループの競争ダイナミクスと、組織内のダイナミクスにも注目しよう。

会社の特徴は何か？　共通の価値観と信念は何か？　どのような暗黙知や経験知（ディープスマート）を持っているか？　どのような策や日課があるか？

ポイントは、他社が真似をすることが難しく、持続可能な競争優位を実現できる秘策と材料を、社内で見つけることだ。これは、内部のコンピテンシーと外部のダイナミクスを、創造的に結びつけることによって明らかにできる。

野中と竹内の知識スパイラル

戦略上の強みを見つけるには、会社が最も得意なことを明らかにしなければならない。「いかに学ぶか」や「何を知っているか」も重要だ。これらの能力は、差別化戦略の土台となり、結果として強力な戦略的資産を生みだすことができる。

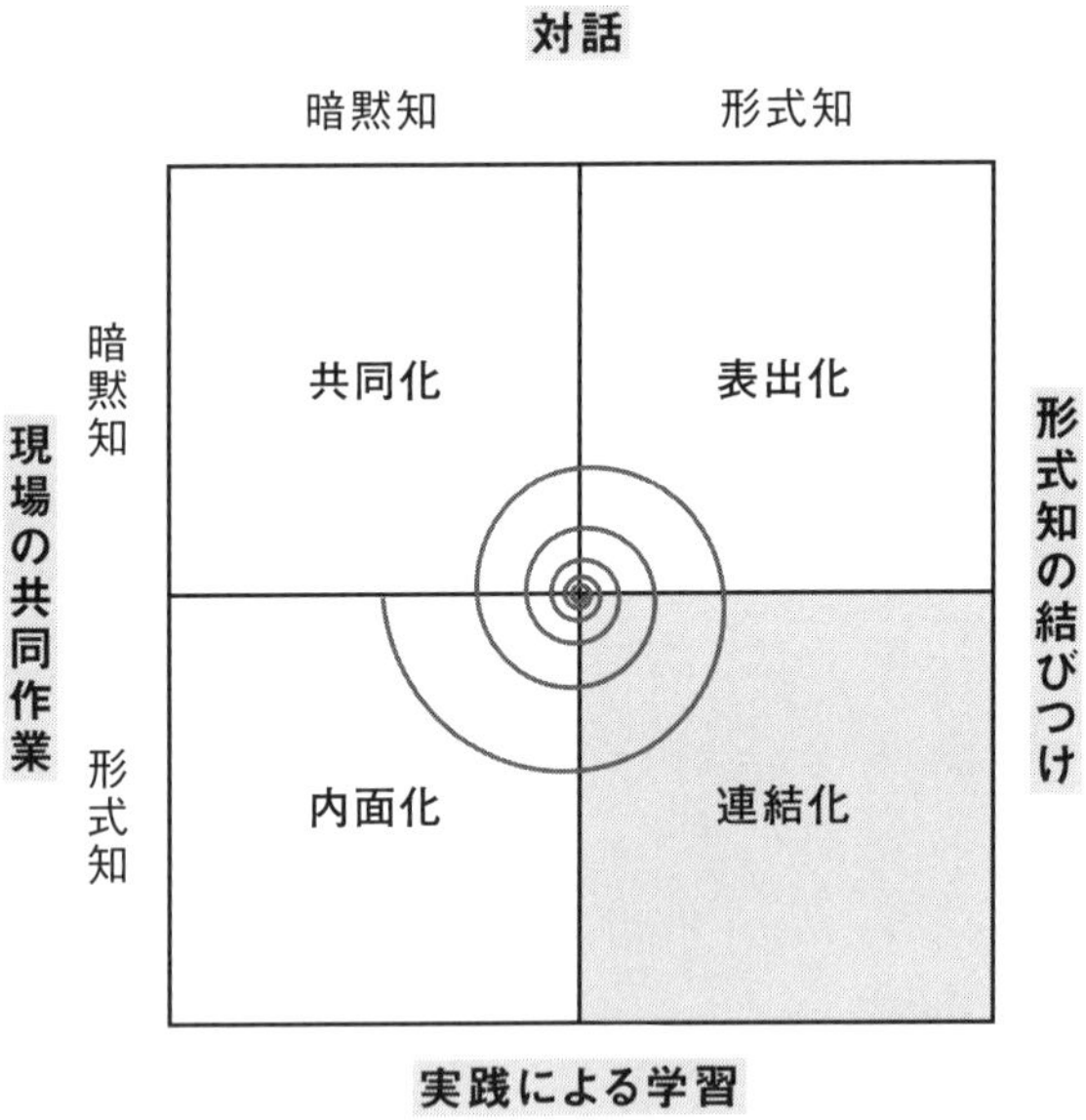

［使い方］

知識と学習にはさまざまなタイプがある。「暗黙知」とは、私たちが文字や言葉にせずに理解している知識で、「形式知」とは、言語化され、はっきりと説明できる知識のことだ。知識がつくられる方法と、その知識を共有する方法を知っておくことは大切だ。

新しい知識の多くは、「共同化」によってもたらされる。人は体験から学び、それを共有する。会話や観察、模倣、ブレインストーミングなどを通じて、自らの思考や行動に役立つ知識を学んでいく。「内面化」は、文書化された知識を正式に教えることで、教育研修などがこれにあたる。「表出化」は、秘密のレシピを文書化し、モデルやチェックリストを使って、他者が学びやすいようにすることだ。「連結化」は、秘訣と正式な知識を組み合わせ、目標達成に役立てることだ。

現在、会社でどのような方法で学習が行われているかを確認しよう。隠れた方法を見つけ、会社の正式な知識と組み合わせよう。ただし、これは従来型のナレッジ・マネジメントと同じものではないことに注意してほしい。知識スパイラルとは、学習し、それを活用することが最も得意になるために活用できるものなのだ。

マッキンゼーの7Sフレームワーク

戦略の肝は、さまざまな経営資源をいかに組み合わせるかだ。これは、戦略上のポジションと意図がいくら良いものであっても変わらない。このモデルは、各パーツを結びつける方法を考えるためにつくられたものだ。

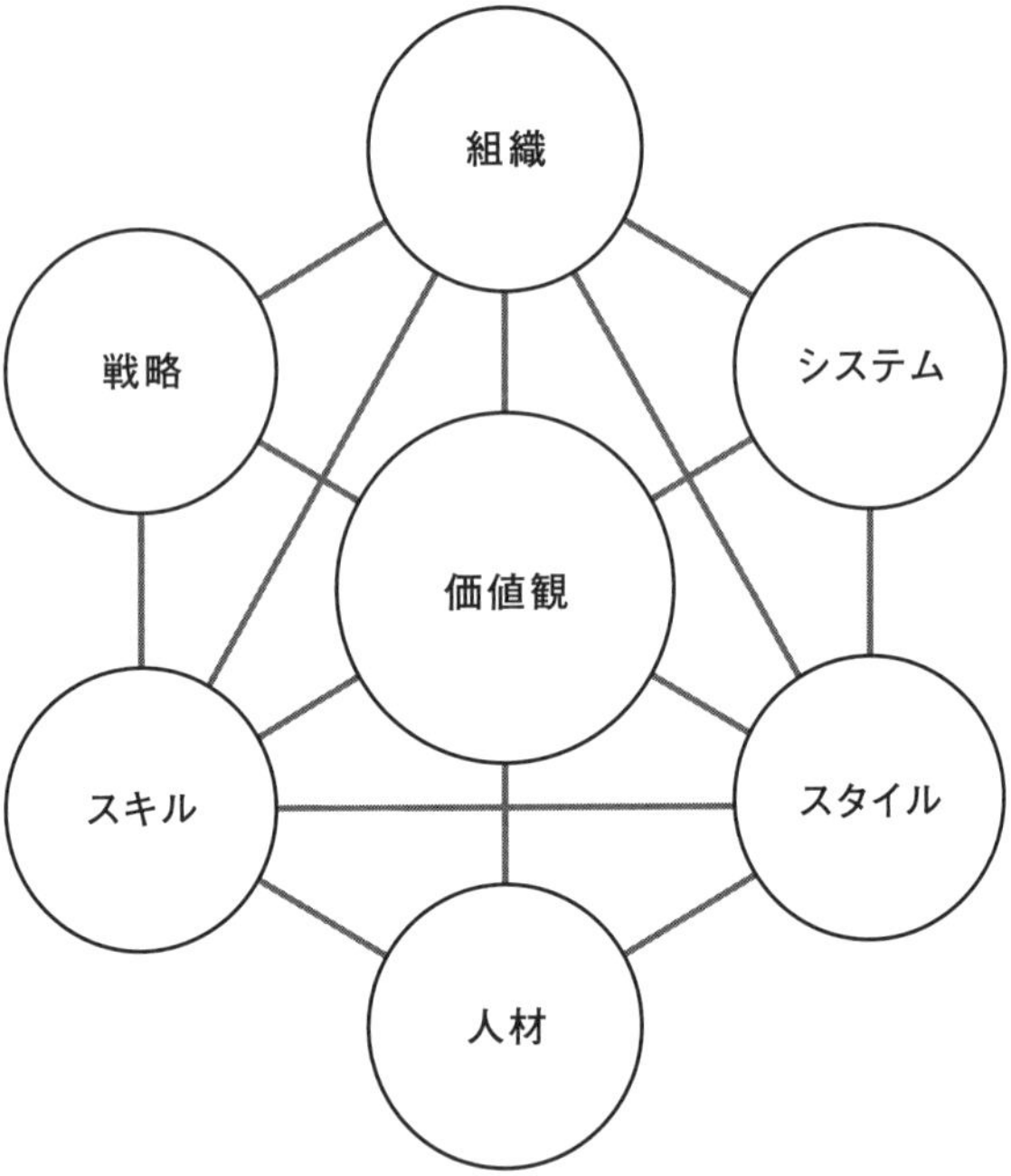

［使い方］

7Sモデルは、戦略が会社のポートフォリオの管理以上のものであることを示している。それぞれの経営資源は、成功の実現を目指すために組織化しなければならない。この組み合わせは、効果的かつ創造的な経営を実現させ、戦略のサポートや修正に貢献する。

このモデルを使って、各経営資源を一貫した方法で組み合わせるにはどうすればよいかを考えることができる。「パーツを他と上手く結びつけるにはどうすればよいか？」「各パーツの最善の運営方法は？」「戦略に必要なスキルやシステム、スタイル、人材、組織は？」「全体的な最重要の目標は、各要素の組み合わせによって達成できるか？」などを考えよう。

7Sモデルは、各要素の対立を、チャンスの源として見るためにも使える。「矛盾や衝突から何を学べるか？」「変革をもたらす機会はないか？」「戦略的イノベーションの先端の位置を保つことができるか？」「戦略を絶えず更新するにはどうすればよいか？」「矛盾や衝突を乗り越えることで、新たな市場を創出できないか？」などを検討しよう。

シナリオプランニング

戦略とは、未来を形作ることだ。だが、未来は不確実だ。シナリオプランニングは、未来を予測し、その意味を理解し、学ぶことに役立つ。不確実性を受け入れることで、戦略を策定し、実現する能力を高められる。

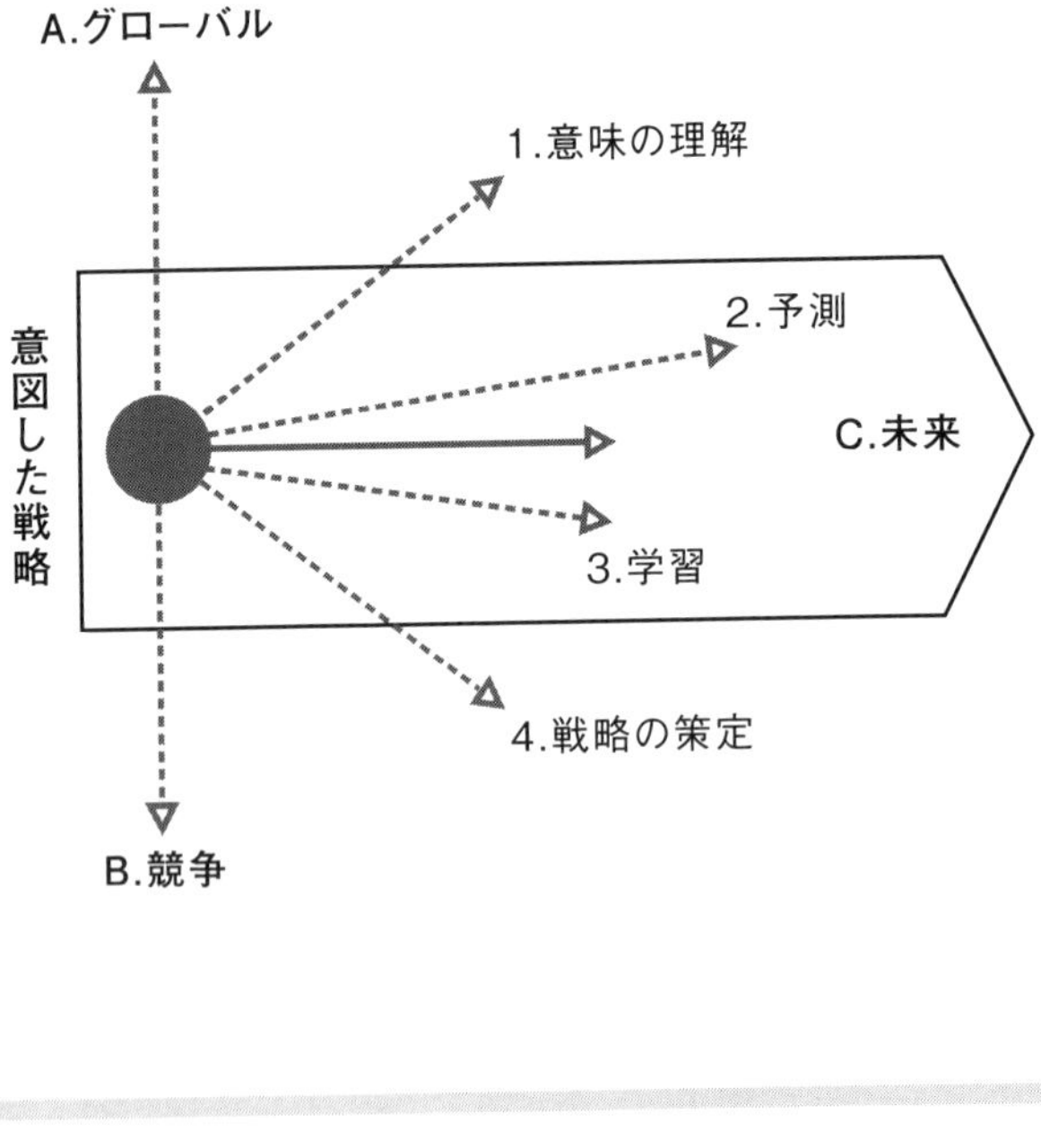

［使い方］

将来の戦略を実現するために必要な要件をリストアップしよう。成功させるために、社内外で何が起きなければならないかを考えよう。不確実性やインパクトが最も大きいと考えられる前提は何だろうか。市場の傾向やさまざまな仮説を探ってみよう。

シナリオプランニングは、戦略の前提を明確にし（透明性）、選択肢の幅を広げる（多様性）。シナリオの焦点は、目標が何かによって変わる。

・説得力がある――複雑な問題や不確実な領域が、どう具体的に作用するのか？
・変化を予測する――将来、何が起こり得るか？　競合企業は何をするか？　機会や脅威をもたらすものは何か？
・学習――生じつつあるものを、どのようにして学べるか？　顧客や競合企業の性質は何か？　会社の思考方法は何か？
・戦略の策定――戦略の柔軟性は？　他の選択肢はあるか？　不確実な未来を具体化する良い方法を見つけられるか？

アンゾフの成長マトリックス

企業は成長を望んでいる。だが、いつ新製品の販売を開始すべきか、いつ新市場に参入すべきかなどを決めるのは難しい。この成長マトリックスを使うことで、このような選択を明確にできる。図式化することでグループでも議論もしやすくなるし、戦略についての決定にも役立つ。

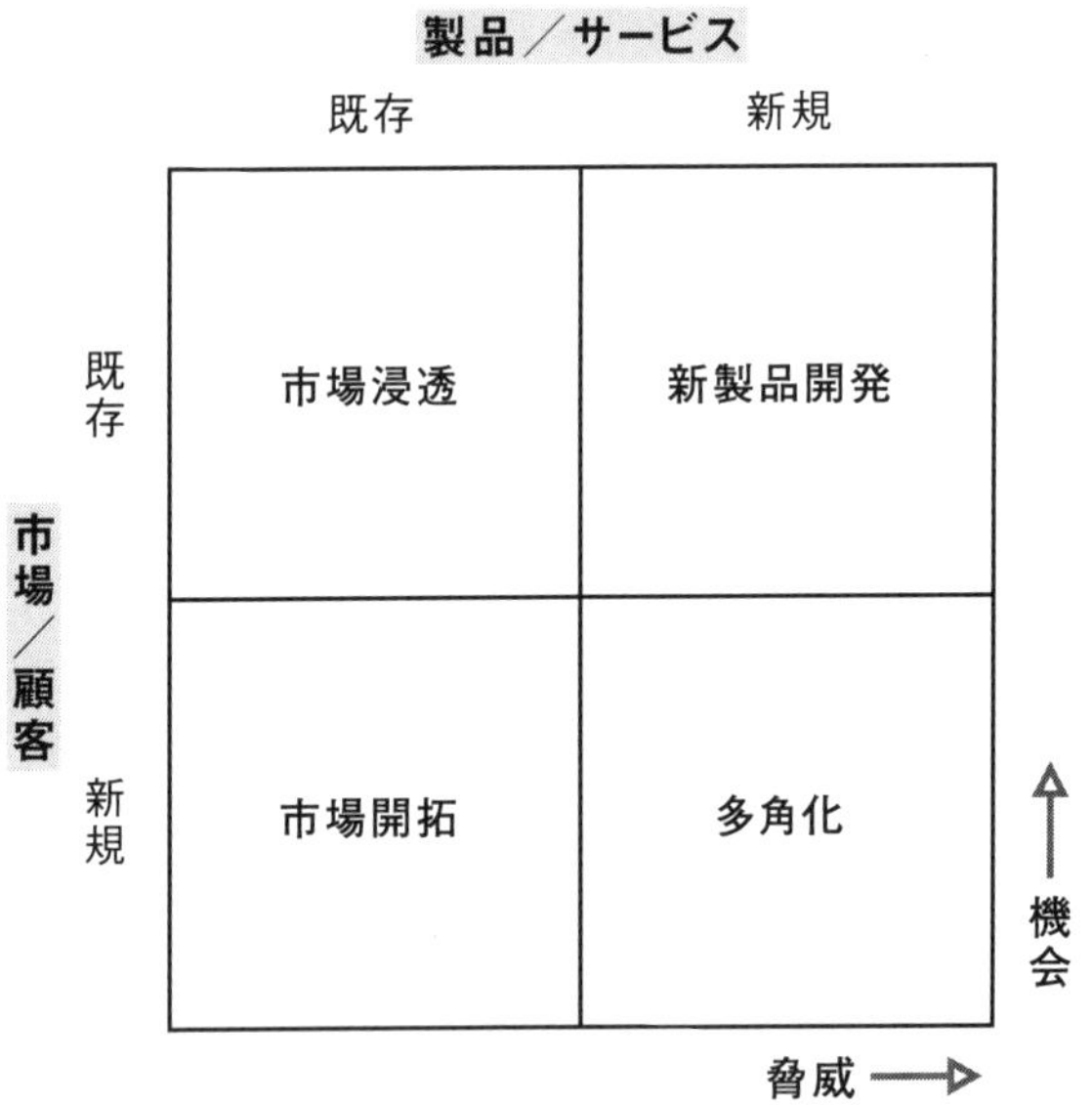

［使い方］

まず、現在の市場／顧客、製品／サービスをリストアップすることから始めよう。脅威、機会、強みと弱みを調べよう（SWOT分析）。現在の市場と製品における競合企業のレベルを考えよう（ファイブフォース分析）。自社が提供している独自の価値を理解しよう（価値連鎖）。

- 新市場と新製品の機会と脅威は何か？　新市場への参入は簡単（または魅力的）か？　新製品の販売を開始することのリスクは高くないか？
- 競合企業は新製品の販売を開始したか？　競争をしたくない競合企業はいるか？　競争優位になる能力を持っているか？

この成長マトリックスを使って、社内で選択肢について議論が活発に行われるようにしよう。状態は、時間とともに変化する。このマトリックスは、過去の決定のロジックや前提、いつ決定が行われたかの良い記録にもなる。

BCGのプロダクト・ポートフォリオ・マネジメント

どの市場と製品に集中すべきかについて、優先順位を付けるのは簡単ではない。BCG(ボストン・コンサルティング・グループ)が開発したプロダクト・ポートフォリオ・マネジメントでは、市場の成長率と占有率を基準にして、製品の位置づけを分析できる。これによって、戦略と目標の達成に最適な製品に、投資を絞り込みやすくなる。

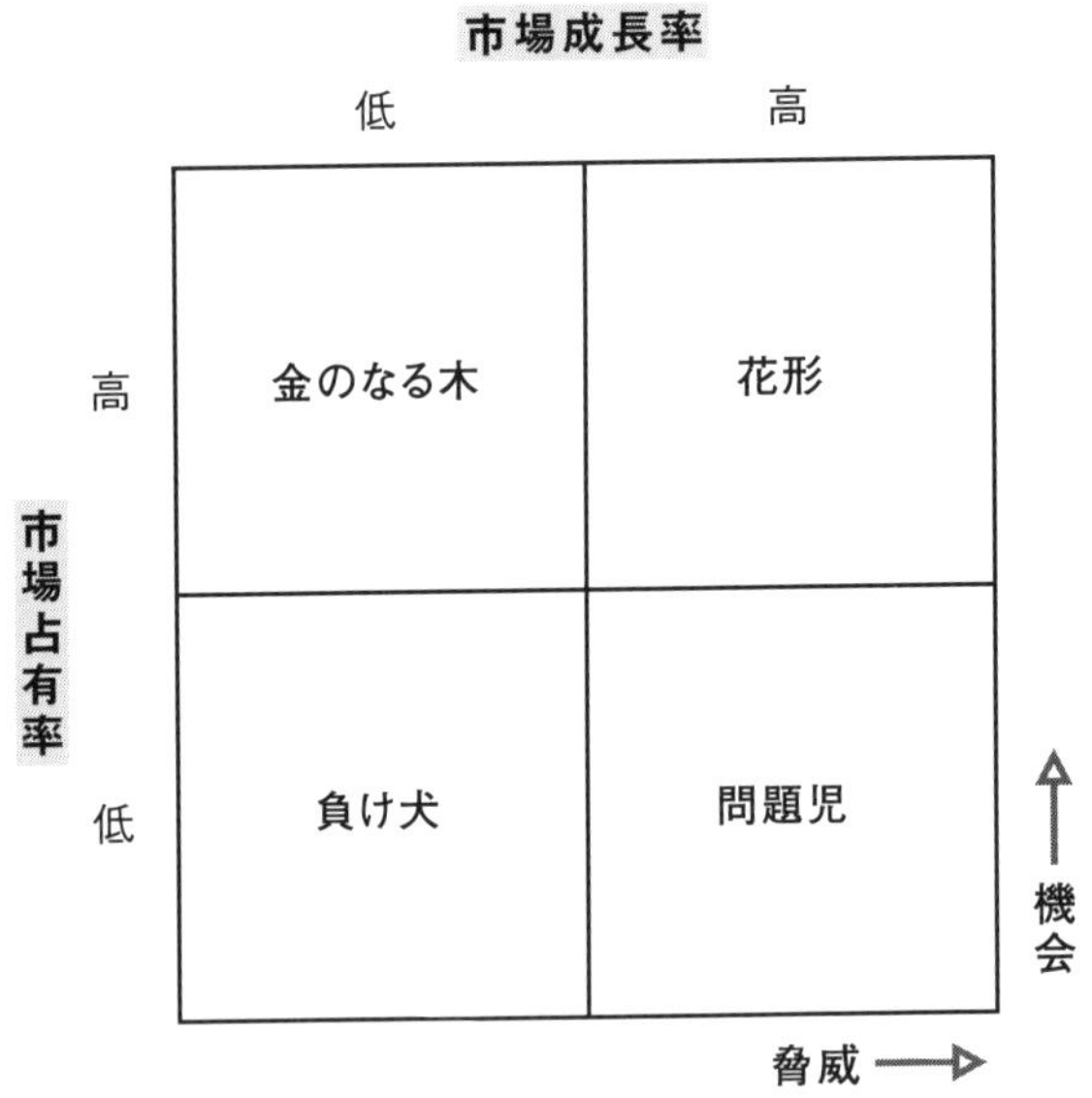

［使い方］

製品（または部門や子会社）の市場成長率と市場占有率を分析しよう。最初の段階では、他との相対評価で位置を決めてもよい。目的は、対象のアイテムをすべて4つのグループ内のいずれかに配置し、どれに優先度を与え、投資するかを決められるようにすることだ。

通常、「花形」製品には、成長を継続させるために多くの投資を行う。将来の大きな成長の伸びが期待できない「金のなる木」には多くの投資はしない。将来性のない「負け犬」には投資をほとんどしない。「問題児」については投資することで「花形」にできるかどうかを積極的に議論する。

ただし、このマトリックスには注意すべき点もある。一般的に、市場を明確に定義するのは難しいこと、市場占有率は必ずしも利益率（または望ましい状況）と同じではないこと、機会や脅威の内容によっては投資の条件がまったく変わってしまうことなどだ。普通の方法で、収益の成長率や利益を見ることのほうが効果的な場合もある点を覚えておこう。

キムとモボルニュのブルーオーシャン戦略

多くの企業は、「同じ顧客のために同じことをする」という罠に簡単に陥ってしまう。ビジネスには、特定の企業や業界に固定されてしまうという習性がある。ブルーオーシャンとは、価値のルールを変え、非顧客に集中することが可能かを問うものである。

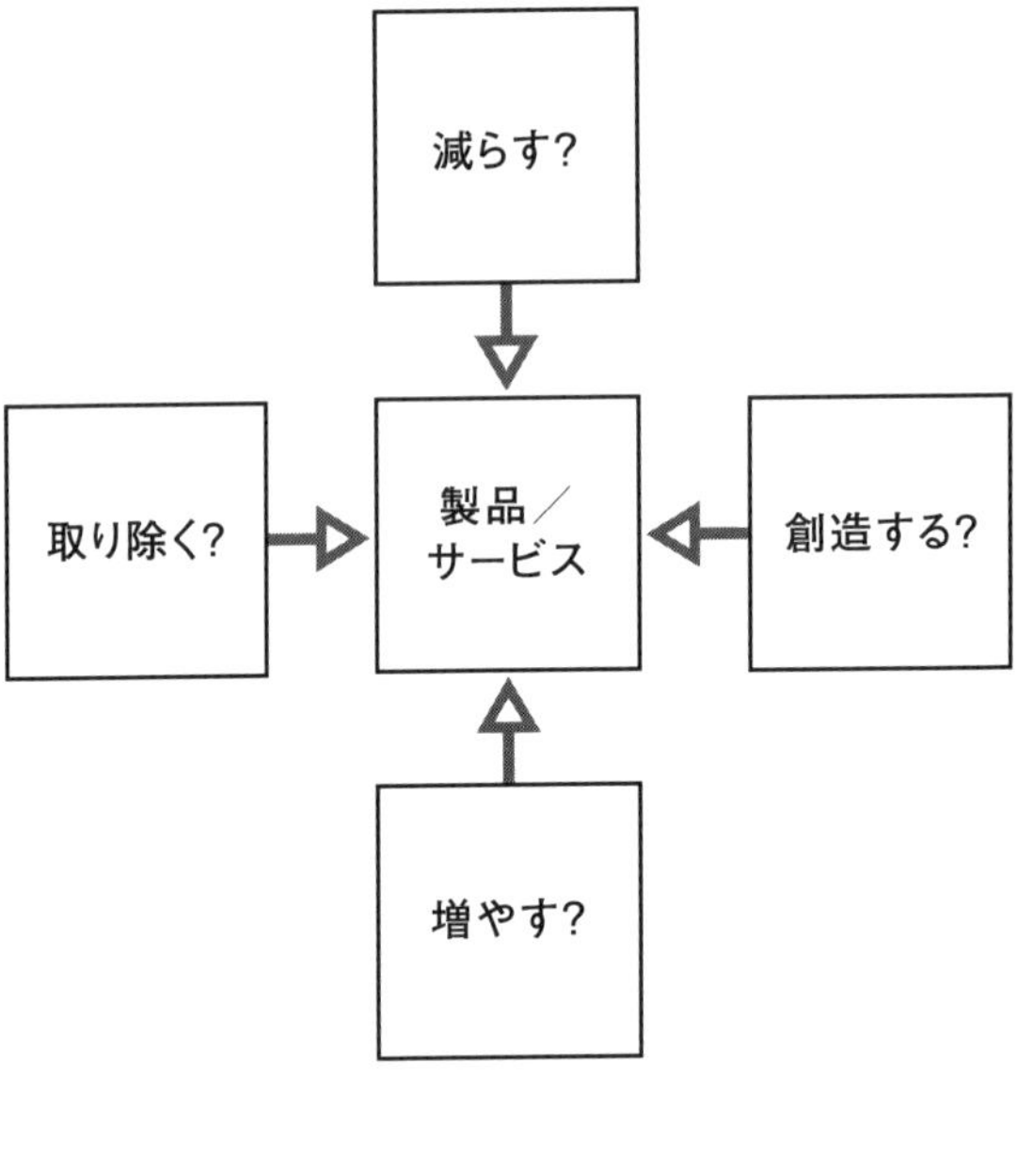

［使い方］

製品を、顧客と非顧客の好みという視点から見てみよう。製品はどのように使われているか。業界の平均（やルール）と比較してどうか。次に、想像力を駆使して、業界の前提の一部を変えた場合、非顧客（当該の類の製品やサービスを買わない人）がそれを買うかどうか考えよう。

属性を減らすことや、完全に取り除くこともできる。属性のレベルや品質を引き上げることもできる。業界（や市場）にこれまでなかった機能や特徴を創造することもできる。ある意味で、これは製品を他社から差別化し、新市場に参入するアプローチだ。十分に現実的ではないという批判もあるが、これは戦略プロセスの一環としてアイデアを生み出すうえで効果的だ。284ページで紹介したコア・コンピテンシーにも似ている。

グレイナーの成長(と転換点)モデル

組織が内在的に抱える課題を考慮する戦略もある。これらの課題は、組織の歴史と成長を通じて変化する。グレイナーの成長モデルでは、組織はその段階に応じて、異なる課題に直面する。これらの課題はそれぞれ、組織に難局をもたらす。

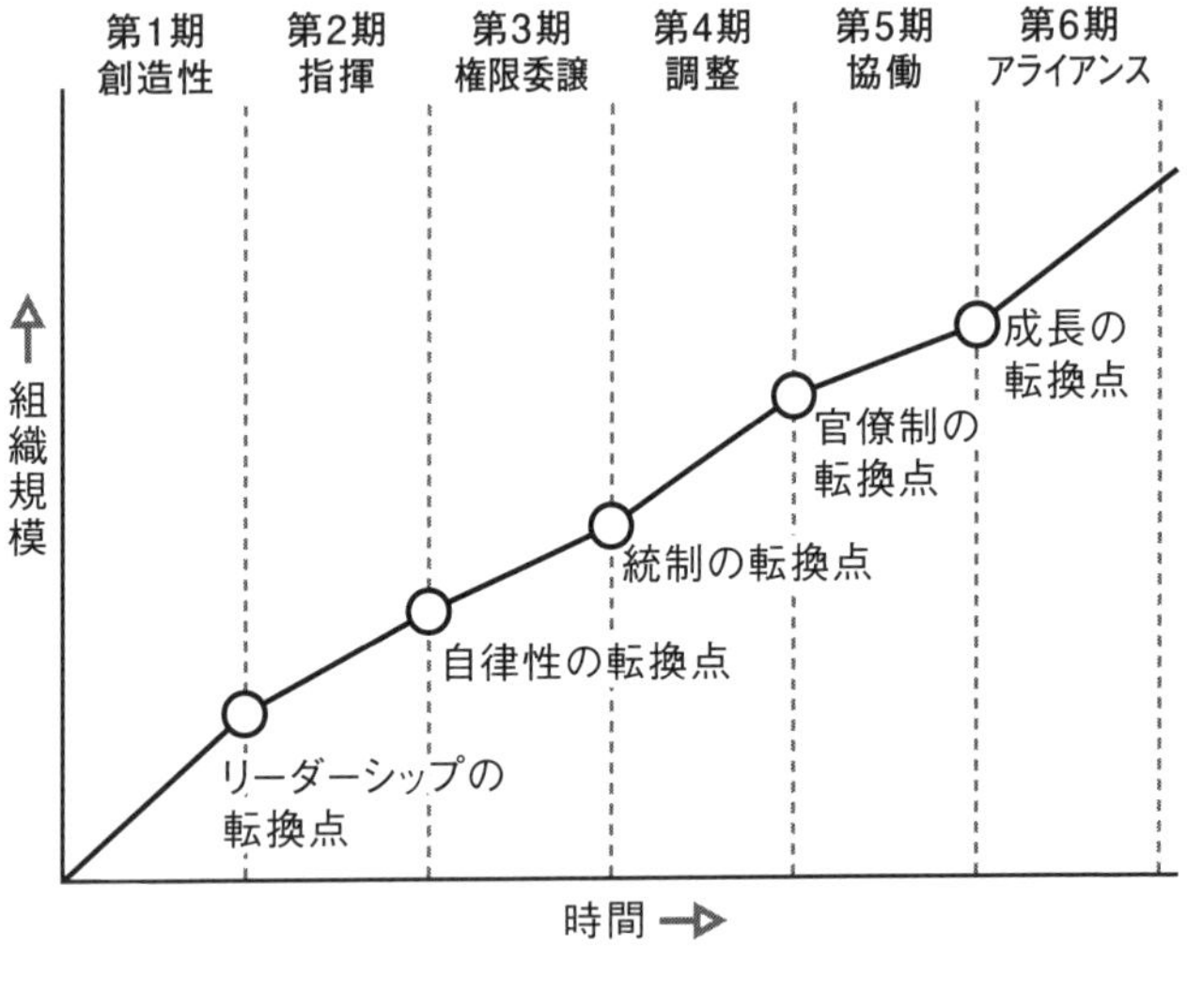

［使い方］

組織の歴史と現状について検討しよう。創業以来、組織がどのような種類の段階と転換点を体験してきたのかを考える。特にこれは、議論の枠組みをつくるうえで重要だ。戦略が対処すべき課題と解決策を理解するための、土台が得られる。

組織は、創造性によって成長を始める。やがて、組織には指揮が必要になり、リーダーシップの転換点に到達する。その結果、リーダーシップの権限が強化される一方で、社員が独自の意思決定をしにくくなるという、自律性の転換が生じ、権限の委譲が必要になる。自律性が実現されることで、リーダーシップは統制の危機に直面し、調整が必要になる。統制を求めることで、組織は官僚主義の転換点に直面する。これを回避するためには、柔軟な協働が必要になる。そして組織は、外部のアライアンスの探求が必要な成長の転換点に再び直面する。

このモデルは、それぞれの組織で起きることを完璧に予測するものではない。組織によって、飛ばされる段階もあれば、繰り返される段階もある。このモデルのメリットは、ここで記述した転換点を基準にして、自社の課題がそれに当てはまるかどうかを検討できる点だ。これによって、必要な解決策も自ずと導きやすくなる。

トレーシーとウィアセーマの価値基準

リーダーにとって、組織が何に集中すべきかの選択が難しいこともある。トレーシーとウィアセーマの価値基準モデルでは、組織は価値を提供するために、集中すべき対象の選択を独自なものにしなければならないと主張する。また、この独自の価値は、3つの一般的な価値命題のみで決定されるとしている。

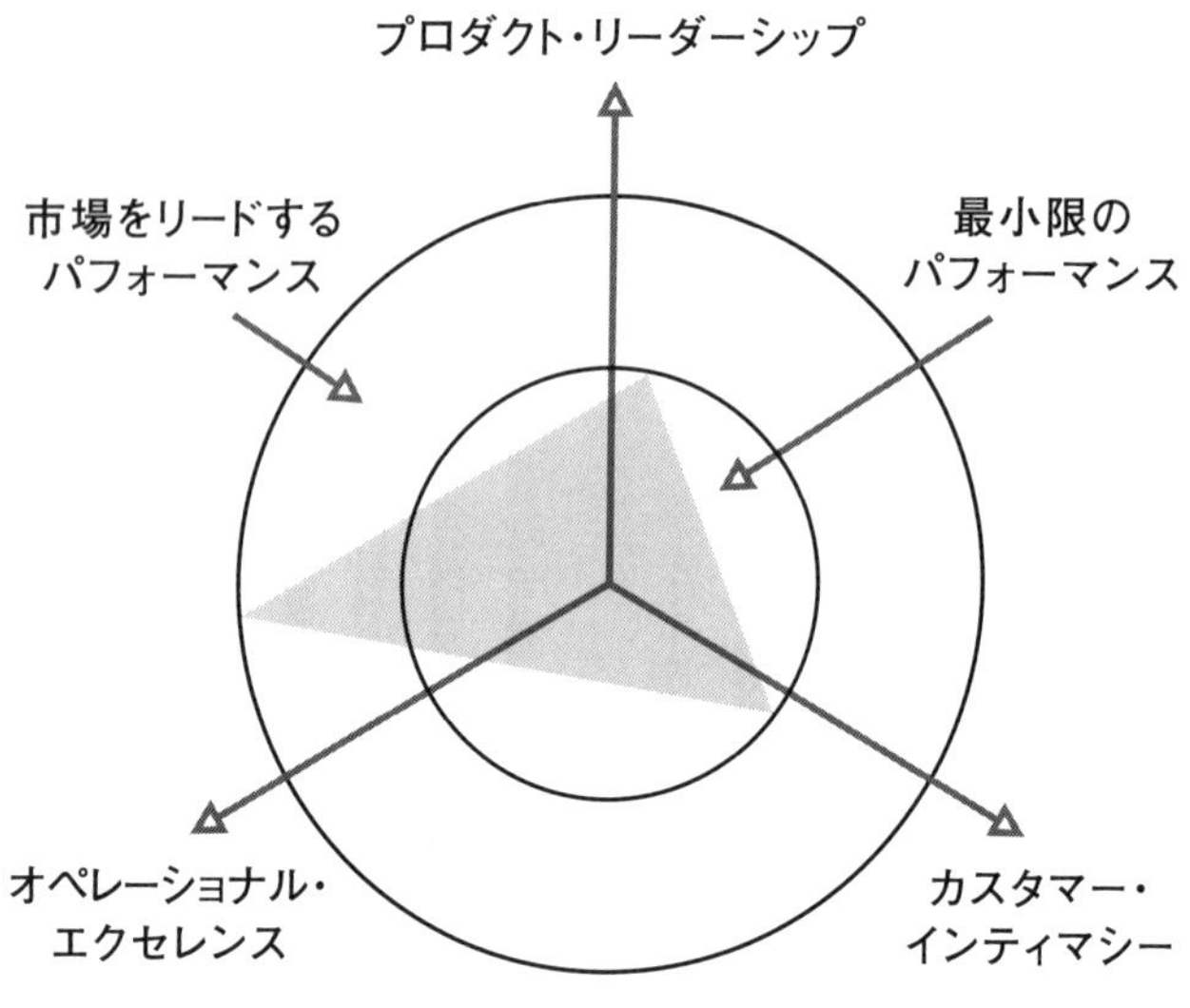

［使い方］

このモデルは、3つの価値基準を区別し、リーダーはその中から1つを選択しなければならないと主張する。オペレーショナル・エクセレンスは、最も効率的（または効果的）なランニング・コストを追求する。プロダクト・リーダーシップは、最も優れた、最も革新的な製品を、最も早く市場に投入することを目指す。カスタマー・インティマシーは、顧客に最も焦点を合わせた体験を提供する。それぞれの選択には、優先順位の決定が伴う。

まず、既存（およびターゲット）の顧客にとって、どの種類の価値観が最も重要であるかを考えよう。価値観の各領域の、最小限と市場トップのパフォーマンスのレベルを明らかにする。次に、それぞれの価値基準でトップを目指すことが、組織にもたらす結果について考えよう。最後に、これらの選択と結果について、幅広いグループと議論する。関連するオプション、メリットとデメリット、コストと結果を詳しく検討しよう。

1つの価値基準に偏り過ぎないようにして、過度のアンバランスを避けることが重要だ。市場リーダーは、複数のエリアで優れたパフォーマンスを発揮していることが多い。また、価値連鎖の他の要素を忘れないことも重要だ。

カミングスとウィルソン：オリエンテーションと活性化

戦略のもっとも重要なメリットは、個人の取り組みにフォーカスし、動機づけを高めることでもある。このモデルでは、組織の思考と行動が、戦略によってどの程度、正しい方向に導かれるかを検討する。また、戦略がどの程度、社員を活気づけ、積極的に関与させるかについても調べる。

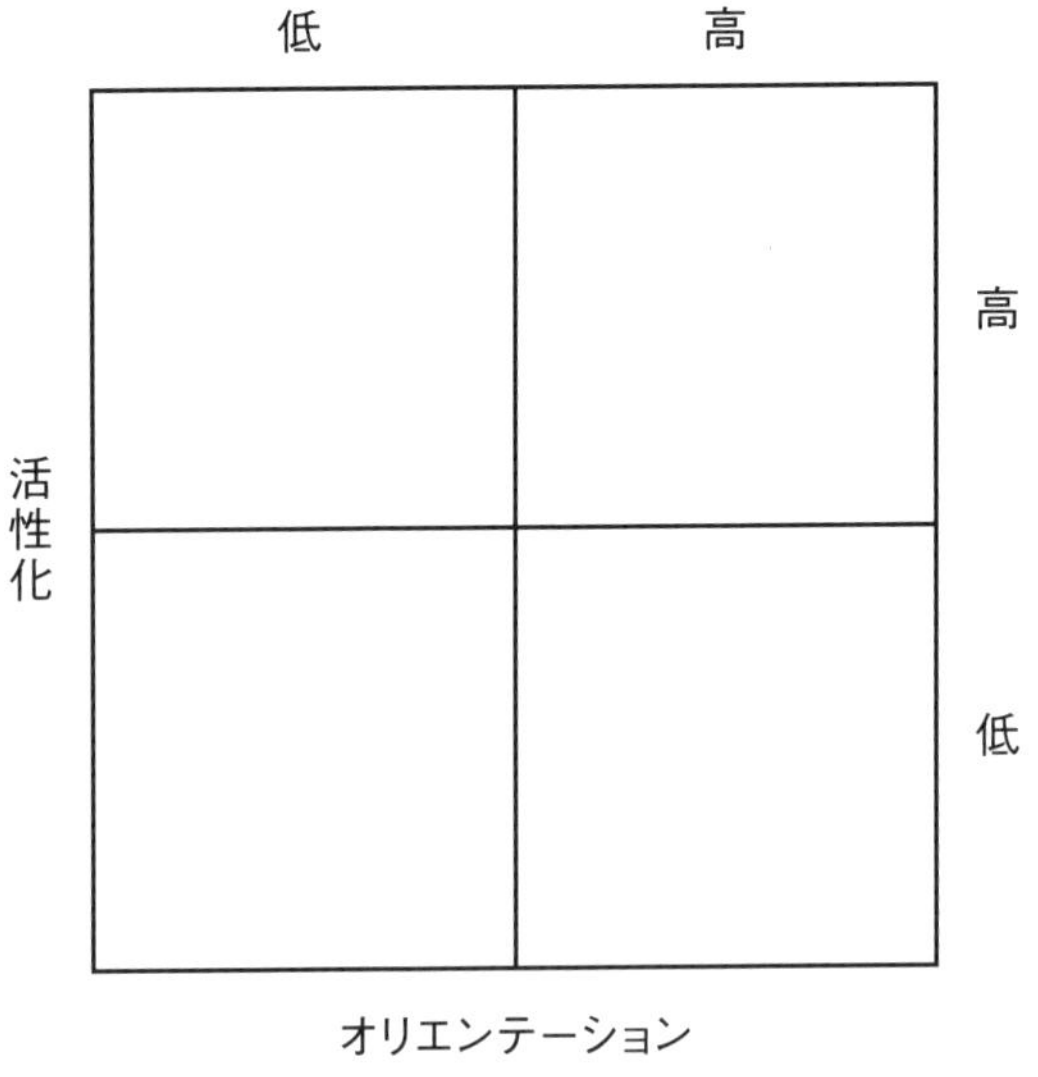

［使い方］

現在の組織の社員が、どの程度、活気づけ（または動機づけ）られているかを考えよう（活性化）。士気は高いか？　社員は懸命に、創造的に働いているか？

さらに、社員を必要な種類の取り組みに向かわせるうえで、現在の戦略がどの程度役立っているかを考えよう（オリエンテーション）。この2点について、現在のレベルを記録する。

次のステップは、新たな戦略で活性化とオリエンテーションのレベルをどう改善できるかを考えることだ。「新戦略はどれくらい信頼性があるか、斬新か？」「社員は新戦略に確信を持てるか？」「新戦略を十分に理解できるか？」「新戦略はどれぐらい興味深いか？」「周囲のサポートを得るために、新戦略は何を提供するか？」などを考えよう。

戦略の伝達や策定の方法について考えることも大切だ。「策定には、何人が関わるか？」「これらの人々は、どのような種類の活動や会議に関わるか？」「戦略は、パートナーや顧客の活性化やオリエンテーションに役立つか？」「組織が新戦略によって何を目指しているかを、周囲は理解し、関心を寄せているか？」などを検討しよう。

レヴィンのフォースフィールド（力の場）分析

フォースフィールド（力の場）分析で知られる心理学者のクルト・レヴィンは、近代的な組織の変革モデルの父と呼ばれている。この分析では、望ましい変化を抑制する力（抵抗力）と、望ましい変化を促進する力（推進力）を検討する。また、望ましい変化が自然に生じるように、抵抗力を減らすべきだと主張している。

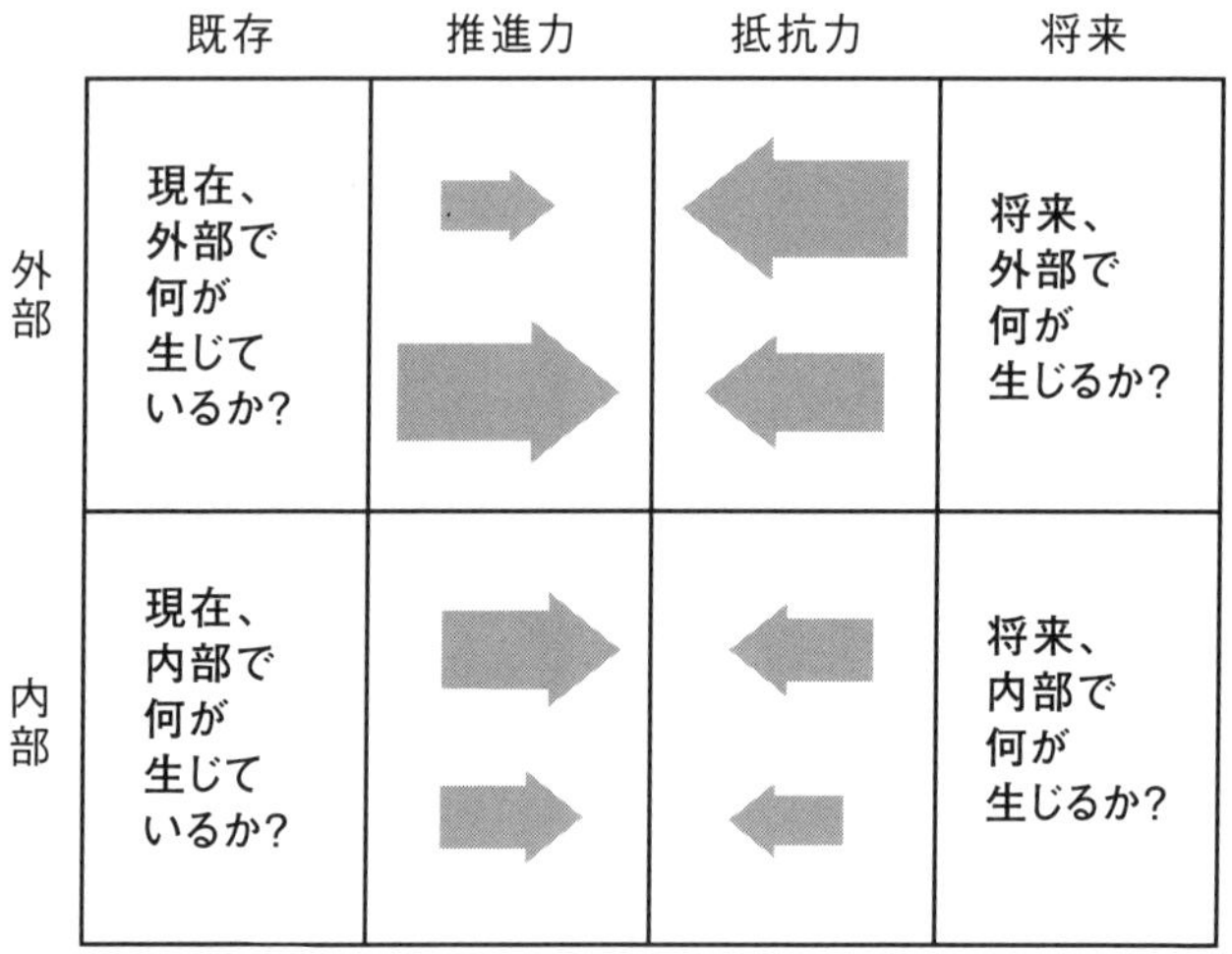
既存
推進力
抵抗力
将来
外部
現在、外部で何が生じているか？
将来、外部で何が生じるか？
内部
現在、内部で何が生じているか？
将来、内部で何が生じるか？

［使い方］

このモデルの改良版では、戦略によって生じる組織の内外における将来の状況を書くことから始める。次に同じ領域での、組織の内外における既存の状況を書き出す。

組織の内外で、戦略上のビジョンを推進している要因を特定しよう。たとえば、「顧客が変化を求めている」「競合企業の存在によって改善を迫られている」「従業員が提案したことが実行されている」「政府による法令のため」などが考えられる。

次に、組織の内外で、望ましい戦略上のビジョンの抵抗となっていると思われる要因を特定しよう。たとえば、「従業員が変化を嫌っている」「従業員が適切なスキルを持っていない」「ブランドのポジションが、変化を起こすためには不十分である」などが考えられる。

最後に、衝突と無駄を最小限に抑えながら変化が自然に生じるようにするために、どのように抵抗力を減らせるかを検討しよう。しかし、抵抗力を甘く見てはいけない。人は、さまざまな正当な理由によって、変化に抵抗するものだからだ。抵抗力を理解することは、戦略をより良いものにするために不可欠である。

コッターの変革の8段階

戦略のほとんどは、さらなる成功を探求する過程において、変革を必要とする。このため、組織に変化を生じさせる能力が、戦略において重要な意味を持つ。優れた戦略をつくっても、実行することができなければ意味がない。次に示すコッターの変革の8段階も、変革を実現するための1つのアプローチだ。

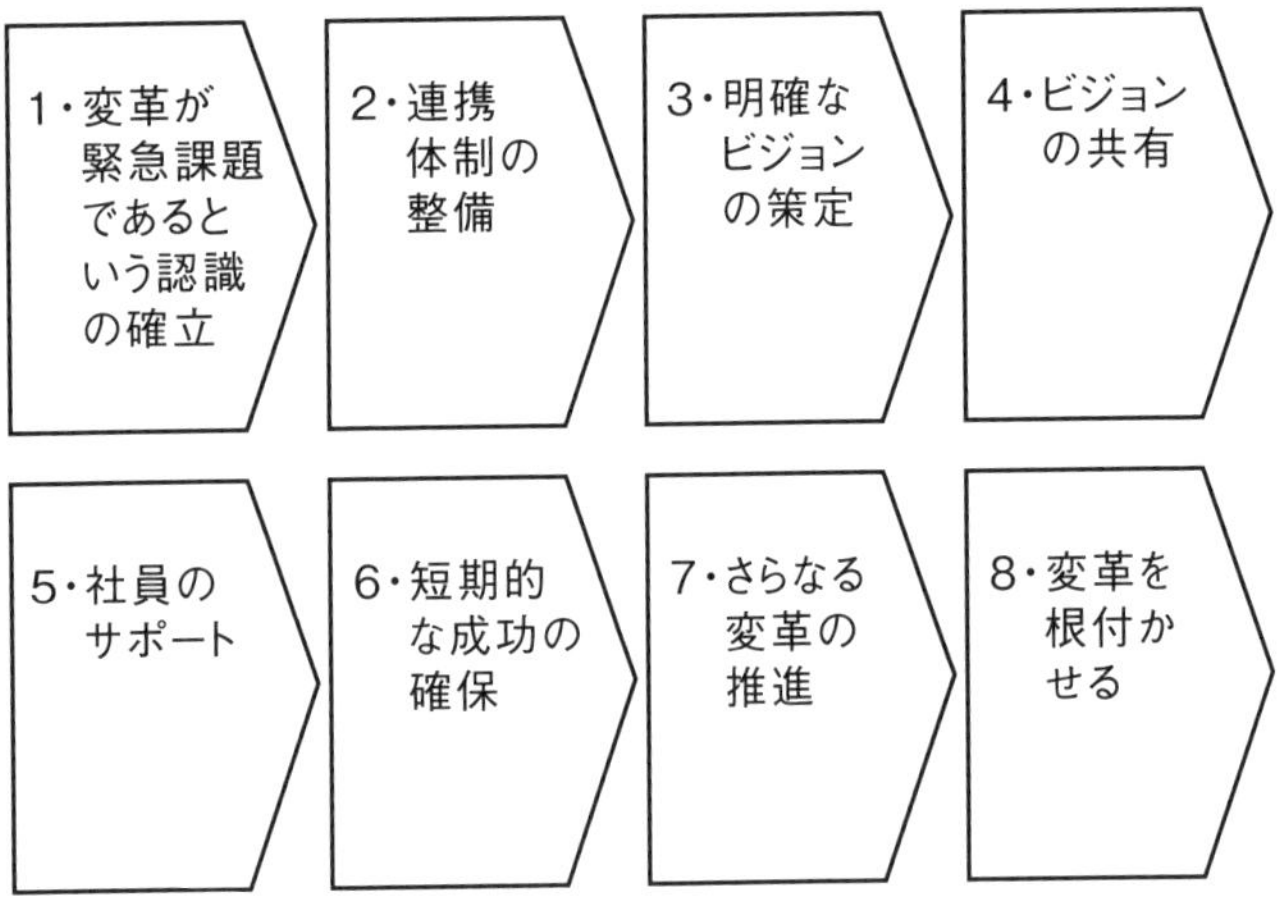
1・変革が緊急課題であるという認識の確立
2・連携体制の整備
3・明確なビジョンの策定
4・ビジョンの共有
5・社員のサポート
6・短期的な成功の確保
7・さらなる変革の推進
8・変革を根付かせる

［使い方］

これと同じようなステップに従う変革モデルは他にいくつもある。共通しているのは、まずは凝り固まった現状を解きほぐすことから始め、最後は望ましい新たなパターンを組織にしっかりと根付かせることで終わる。

コッターのモデルには、８つのステップがある。最初に、潜在的な危機とチャンスに基づき、組織内に緊急性の自覚を確立する。次に、変革への取り組みを推進するための、信頼に基づいた連携体制をつくる。そして、明確なビジョンを策定し、それらを社員と共有する。社員には、ビジョン実現のための障害物を取り除く権限を与える。

ビジョンを実現することへの信念を深めるためには、はっきりと目に見える短期的な成功が必要になる。さらなる変革を行い、その導入を強固なものにして、勢いをつける。ある時点で、変革が後退してしまうのを防ぐために、変革の内容を固定化する。

実際には、複数の戦略上のプロジェクトと、変革が重なることもある。このため、組織内にいつ緊急性の自覚を確立すべきか、いつ変革を固定化して根付かせるかを知ることが難しくなる。また、社員が変革への熱意を失う、「変革疲れ」の問題が生じることもある。

キャプランとノートンのバランスト・スコアカード

戦略を導入したら、その成功度合いをチェックしなくてはならない。その対象は財務的な業績のみではない。戦略がもたらす財務的な効果は、すぐに現れるものでもない。戦略の成功に貢献する領域は、他にいくつもある。

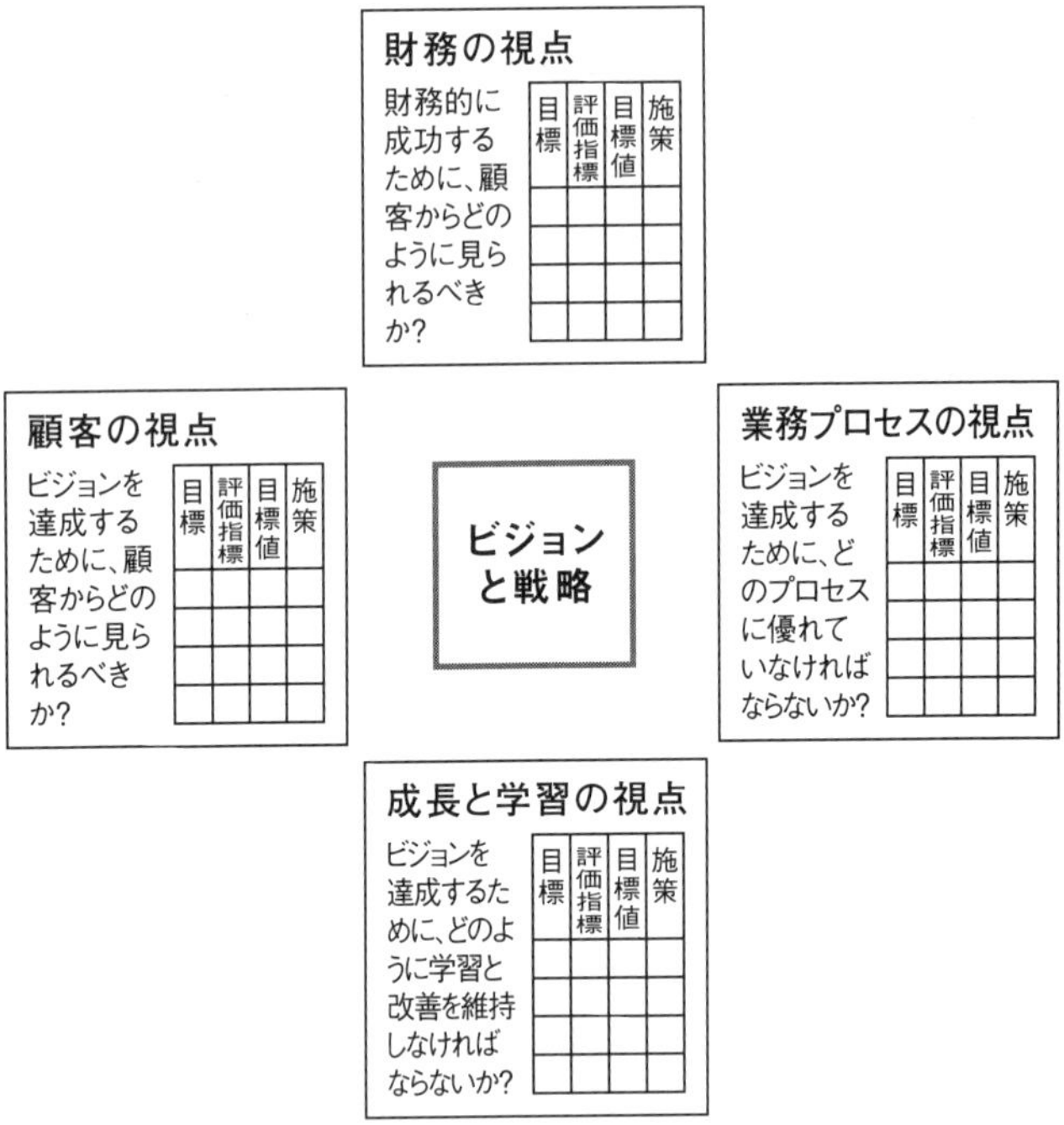
財務の視点
財務的に成功するために、顧客からどのように見られるべきか?
目標
評価指標
目標値
施策
顧客の視点
ビジョンを達成するために、顧客からどのように見られるべきか?
目標
評価指標
目標値
施策
ビジョンと戦略
業務プロセスの視点
ビジョンを達成するために、どのプロセスに優れていなければならないか?
目標
評価指標
目標値
施策
成長と学習の視点
ビジョンを達成するために、どのように学習と改善を維持しなければならないか?
目標
評価指標
目標値
施策

［使い方］

ある組織にとって唯一絶対的なバランスト・スコアカードというものは、つくることができない。しかし、戦略の焦点を、パフォーマンスと進捗を反映するさまざまな基準に合わせることで、その質を高めていくことはできる。

最初に、ビジョンと戦略を明確にしよう。このビジョンと戦略は、初めから最終的なものである必要はない。これによって何を測定するかについての感覚が得やすくなる。次に、ビジネスを4つの視点から検討する。「財務」「顧客」「業務プロセス」「成長と学習」だ。組織が成功するために、これらの各エリアで何を実現しなければならないかを考えよう。パフォーマンスと進捗をどのように測れるかを考えよう。

基準やスコアカードに執着しないように気をつけよう。測定に時間をかけ過ぎないようにすることが大切だ。多くのエリアで、測定に基づいた大まかな意見を持てれば十分だと考えよう。ここでの価値は、戦略を活きたものにし、社員が自らの行動と目標において何が重要かを、バランスのとれた視点でとらえられるようにすることだ。

レビニアクの戦略実行モデル

近年、戦略実行への注目が高まっている。いくら優れた戦略を持っていても、それを現実世界で実現しなければ意味がない。何をすべきかを決めることも戦略の一部である。ただし、残りはそれを実行することなのである。

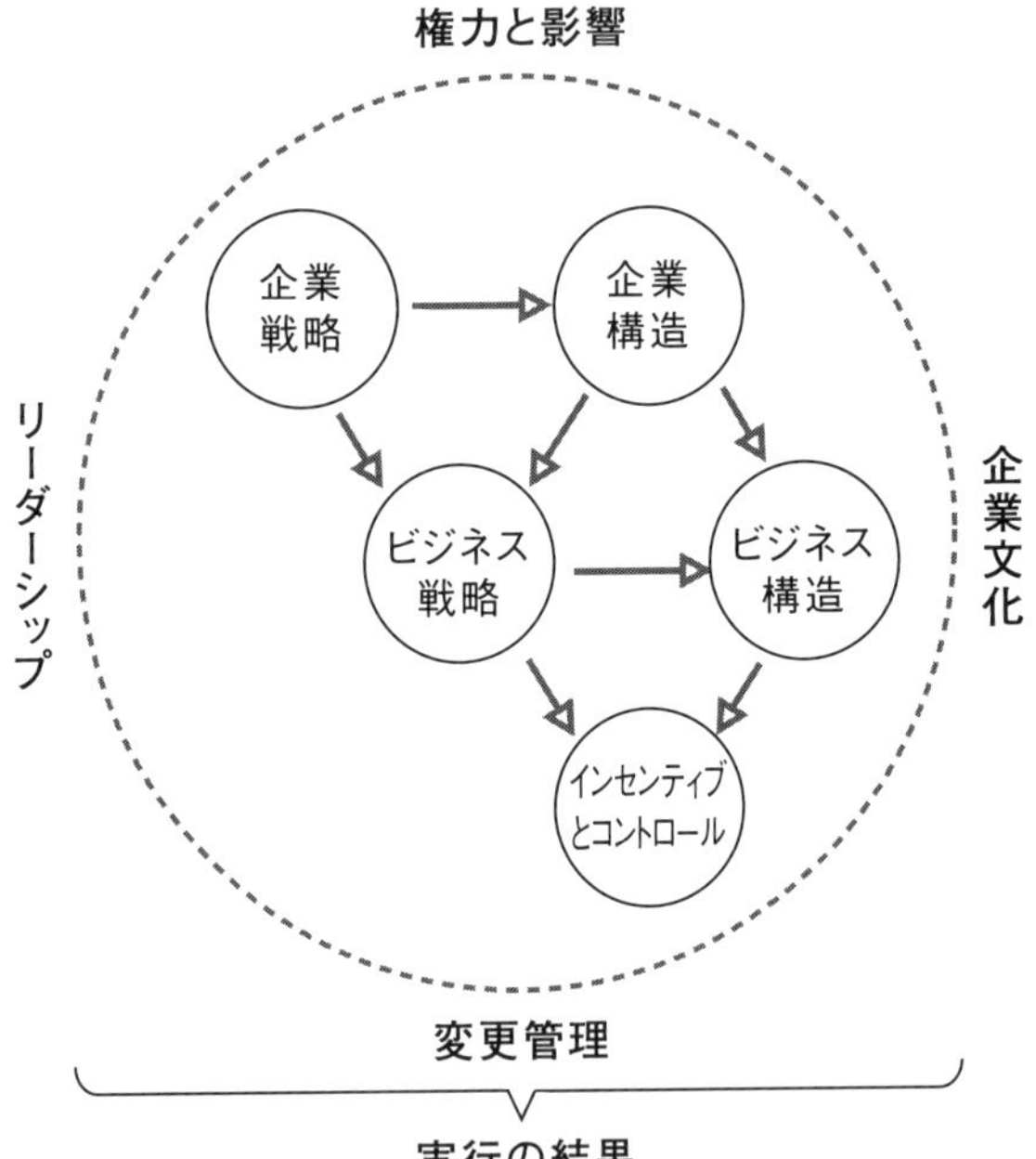

［使い方］

戦略実行モデルによって、意思決定や行動を行う組織のさまざまな部門や機能を、ロジカルな視点で見られるようになる。このモデルを使って、これらの部門や機能を効果的に組み合わせるにはどうすればよいかを考え、議論しよう。「上手く機能しているか？」「改善すべき点はないか？」などを考える

企業戦略とは、事業ポートフォリオや既存のリソース、予期される状況などを管理することである。企業構造とは、多角化と集中、有機的成長と他の企業との提携、中央集権と分散などの度合いを意味する。

ビジネス戦略とは、提供する製品／サービス、競争や差別化の方法についての、個々のビジネスの意思決定である。ビジネス構造とは、組織のさまざまな階層、支社、機能的集団をどのように組織化するかである。

これらの部門／機能は、相互に影響し、さらにインセンティブとコントロールの効果的な選択にも作用する。このモデルによって、組織内の状況を把握し、組織全体の取り組みを機能させ、パフォーマンスやリーダーシップのスタイル、企業文化についてのフィードバックを取得して、戦略の実現を目指すことができる。インセンティブによって、戦略の実現のために必要な業務を促進するのだ。

ハマーとチャンピーの業務プロセスの再設計

多くの戦略の目的は、会社の業績を改善することだ。業務プロセスは、会社の各部門／機能を結びつける。このため、プロセスを改善すれば、会社全体を改善できる。抜本的な改善のためには、抜本的なリエンジニアリング（再設計）が必要になる。

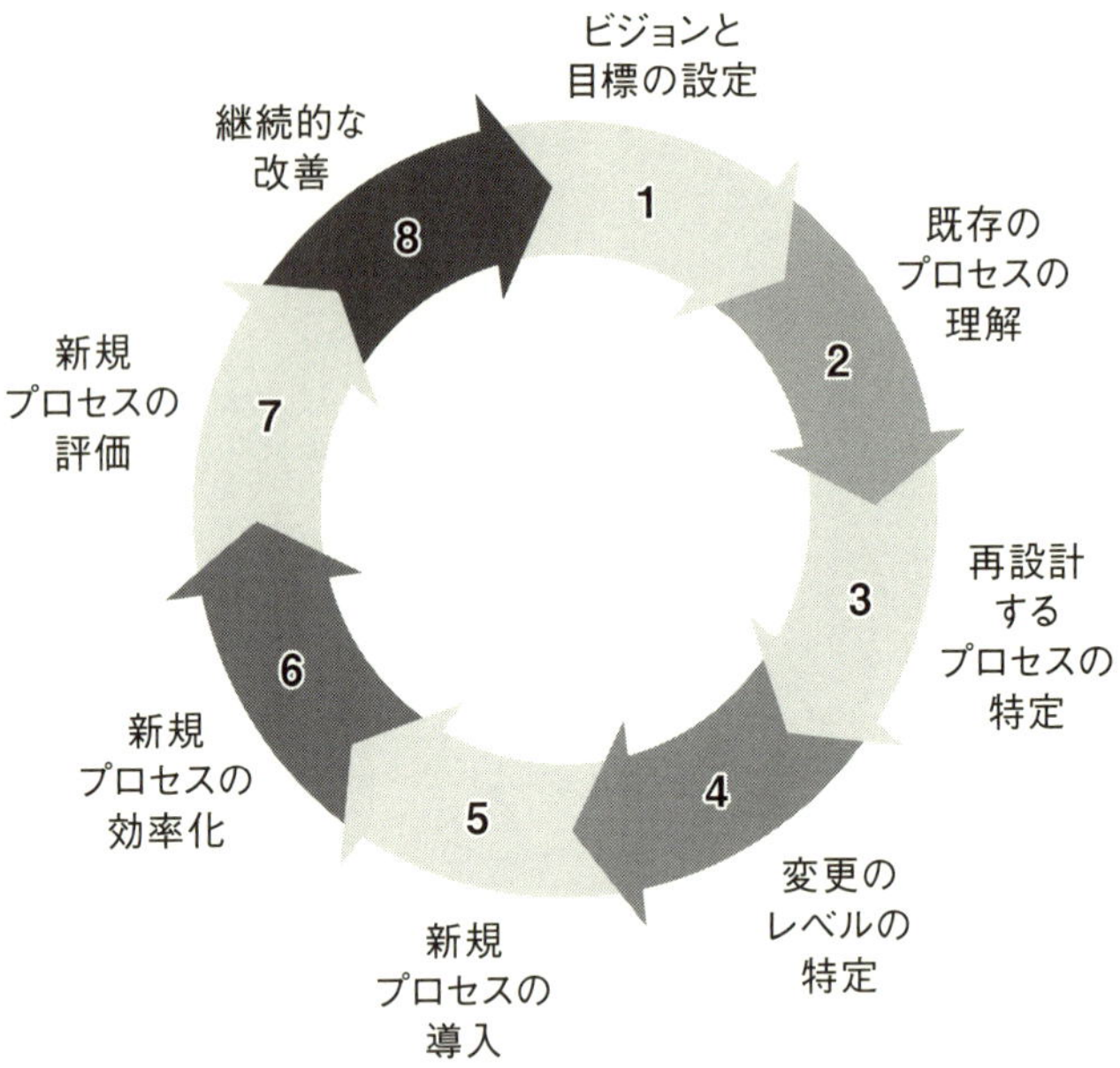

［使い方］

BPR（ビジネス・プロセス・リエンジニアリング）の根底には、プロセスを改善しない限り、組織の業績改善への取り組みの多くは無駄になってしまうという考えがある。BPRを極端に推し進めると、価値を提供していない多くのプロセスを（そのプロセスに関わっている社員とともに）取り除くことになる。

BPRを実施するには、まずチーム全体で、戦略的なビジョンと目標の視点から既存のプロセスを再検討する。次に、プロセスの再設計、導入、実行、評価、継続的改善を行う。

この再構築の実施は、多くの批判や期待はずれの結果を招くことにつながり得るが、そこから価値ある教訓を得ることができる。変更がもたらす結果を予測できるようにするために、プロセスは前後関係のなかで十分に理解しなければならない。

新たなプロセスが逆効果を招くのを防ぐためには、チーム内に、ルールを高く評価する者だけでなく、ルールを疑問視する者も必要だ。プロセスより重要なのは、人なのである。

ミショーとトエニの戦略オリエンテーション

戦略と行動を通じて、将来的にどの程度の変革を実現できるかという見通しは、組織によって異なる。また、外部からの強い／弱い制約についての認識に対する反応も異なる。

	短期	長期
強い圧力	傭兵型	有機的
弱い圧力	断片的	自給自足

［使い方］

戦略実行における選択肢を、自社がどれくらい持っているかという認識は、組織によって異なる。幅広い意思決定をすることが可能な状況でも、実際には組織の内外でさまざまな制約があると感じる場合もある。その結果、組織の戦略策定のスタイル（またはオリエンテーション）には違いが生じる。

傭兵型

組織は外部（市場や投資家）からの強い圧力を感じている。このため、きわめて短期的なアプローチを採用して、外圧を活用（および対処）しようとする。幹部は、解決策や役に立つ人材を組織の外部に求めようとする。外部（および一時的な）人材の能力を活用し、市場のニーズを満たすことがカギになる。

有機的

組織は外部からの圧力を強いと認識しているが、これに対して長期的なアプローチをとる。リーダーは、社内における人材のスキルと企業文化を高めることで、外部の圧力に上手く対処できると主張する。イノベーションと柔軟性を組み込むことで、組織は従業員の能力を活かして、機会の創出と活用ができるようになる。

断片的

組織は、自社の方法に固執することで、外部からの弱い圧力に対応する。これによって組織は新市場の変化に適応する能力を失い、さまざまな競争状態に対処するための短期的な取り組みにエネルギーを費やすようになる。外部からの圧力に対して組織全体が連携しなければならないという切迫感が少数の人間にしかないため、社内での対立も起こりやすい。

自給自足

組織は外部からの圧力が弱いと認識しているが、そのことに対する反応として、イノベーションと変革に対する社内での圧力（または要望）を探そうとする。自社の経営が安定していると考えていても、長期的に成長を望み、価値のある重要な何かを達成しようとする。追い求める価値のある未来を「つくる」ことのできる人材は、何かが起きるのをただ待っている人材よりも価値がある。

このモデルを使って、自社がどのスタイルに当てはまるか、典型的な戦略は何かを考察できる。次に、自社が外部からの圧力を適切に認識しているか、対応策が望ましいものであるかどうかを判断できる。

外圧への対応策のフォーカスを短期的なものから長期的なものに、あるいはその逆に移行させるべきかは、外圧の実際のレベル、将来的に予測される外圧のレベル、個人やグループが差別化をどの程度望んでいるかなどに基づいて判断できる。

バーゲルマンとグローブの戦略の「賭け」モデル

戦略的イニシアティブには、本社で計画された「誘発的」なものがある。一方、現場の判断で「自律的」に追求しなければならない機会もある。誘発的／自律的なイニシアティブのバランスは、市場のダイナミクスや利用できる資金によって変化する。

自律的な機会

資金	検証済	未検証
十分	安全な賭け	賭けを待つ
不十分	社運を賭ける	無謀な賭け

［使い方］

組織にとって、同時に複数の戦略的イニシアティブを追求することは難しい。すべてのイニシアティブを本社が中央で管理する場合、新たなチャンスを見逃してしまう恐れがある。この問題に対処するためには、現場の判断で自律的にイニシアティブを持てるようにするための資金や資源を、本部から提供することだ。

組織の資源のバランスは、市場のダイナミクス（や変化）のレベルに応じて変えることができる。変化のレベルがきわめて高ければ、新たな機会に対処するために、支社や部門の判断で自律的なイニシアティブを多く実施できるようにする必要がある。変化のレベルがきわめて低いか、市場で支配的なポジションにいれば、自律的なイニシアティブはそれほど多くは必要ないと考えられる。

また、自律的なイニシアティブが持てているかどうかの検証結果と、必要な資金の割合も考慮に入れよう。検証を十分に実施しておらず、投資に失敗したときにそれを補うだけの資金がない場合、それは無謀な賭けでしかない。検証は実施しているが、十分な資金がない場合は、それは社運を賭けることだと言える。

アージリスの シングル／ダブルループ学習

戦略とは、将来について推測をし、推測に基づいて行動をすることである。将来、何が起こるかは完全にはわからないが、計画を立て、その実現を試みるのだ。その際に理想的なのは、失敗（と成功）から深いレベルで学び、それを将来の行動に活かすことだ。

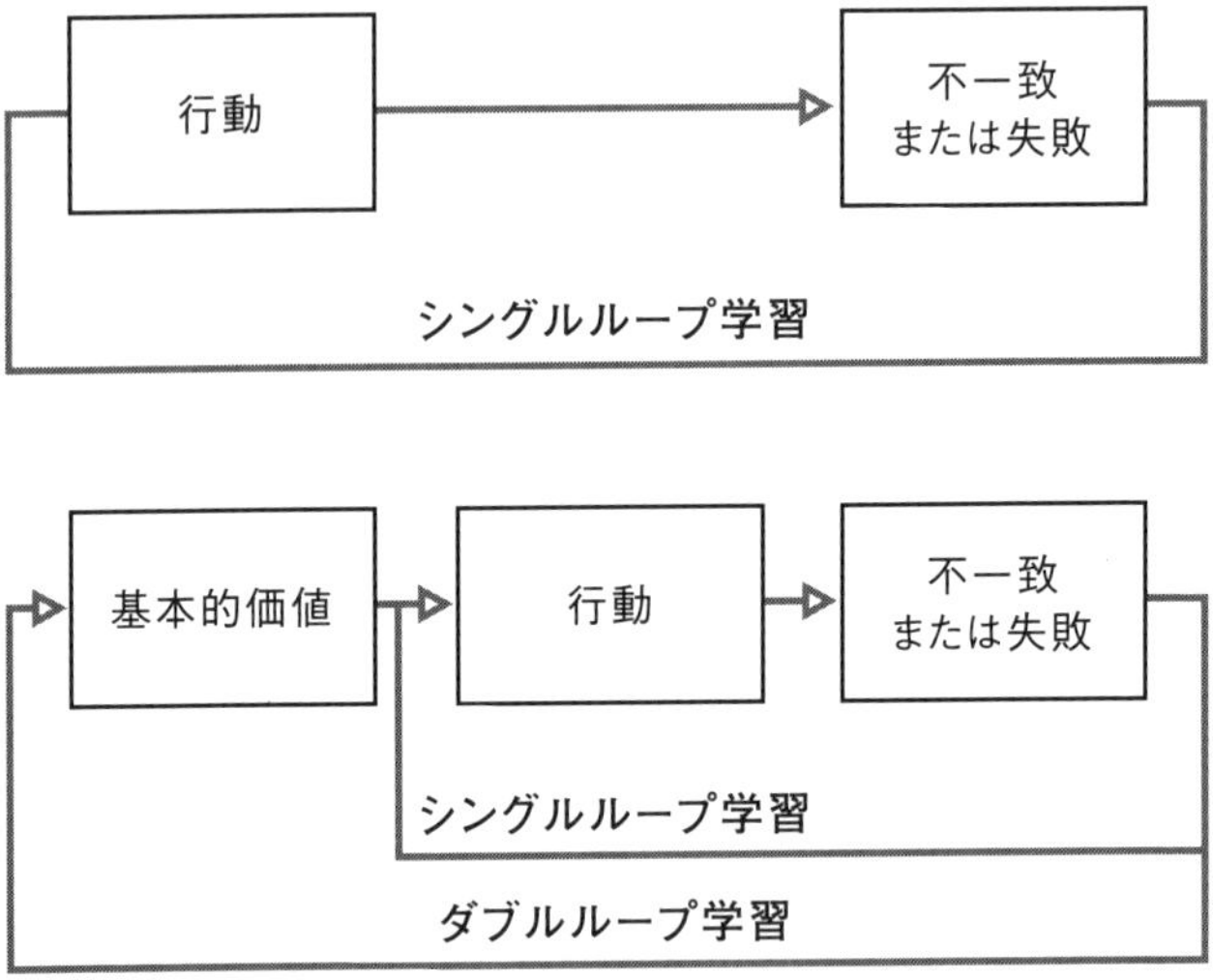

［使い方］

計画の実行は、学びをもたらす。上手くいった点や上手くいかなかった点は、教訓になる。重要なのは、学びのレベルを現場での対応に留めてしまうか、組織全体にとって有益な教訓にできるかだ。特に、組織の基本的価値観や戦略的思考をスマートなものにできれば、効果は大きい。

前年がどうだったかについて振り返ってみよう。戦略が機能した点はどこか、機能しなかった点はどこか。今後、戦略によってより良い結果を生み出せるようにするための、深い教訓を探すのだ。マネジメントと現場、両方の人たちと話をして、現状の理解に努めよう。多くの教訓は現場の最前線で生じているが、それが幹部に伝わらないことは頻繁にある。

戦略プロセスが進行中は、その途中とその年の終わりに、教訓を見いだすようにしよう。問題点はないか。財務的な目標を達成するために、戦略を変更したか。戦略に従わなかったことは、パフォーマンスにどう影響したか。戦略の策定時と実行時に用いたロジックに矛盾はないか。ここでの目的は、行動と教訓の循環を、戦略に取り入れることだ。

ミンツバーグの
意図的戦略と創発的戦略

意図された戦略がすべて実現されるわけではない。また、実現された戦略のすべてが当初から意図していたものだとは限らない。実現される実際の戦略には、計画通りのものと、計画外のものが含まれている。良い戦略家になるためには、これを理解しておくべきだ。

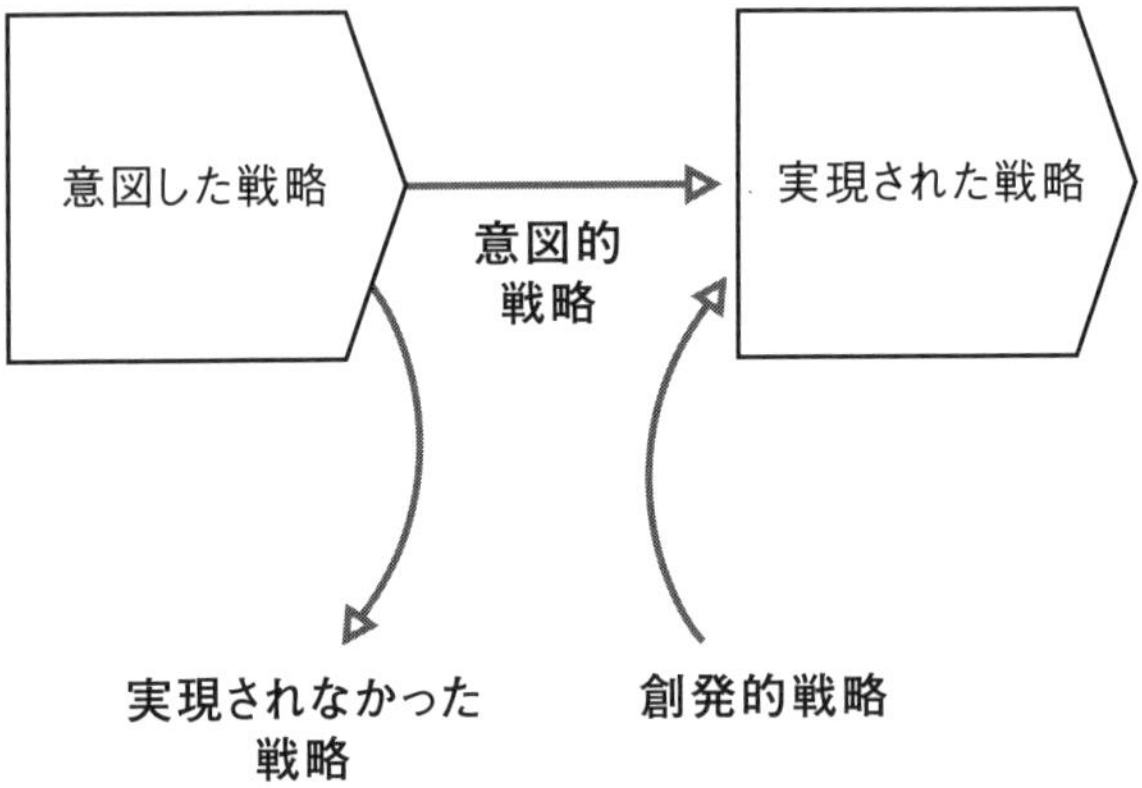

［使い方］

何かを計画することと、実際に起きたこととの違いを理解することは大切だ。この理解によって、計画への過信を防ぎ、戦略的思考の質を高めることができる。

最初に、会社が過去数年（データがあるのなら、さらに長い期間）にわたって、何を達成しようとしていたのかについて考える。過去の年次報告書を調べよう。そして、社歴の長い人に話を聞こう。戦略のなかで、計画通りに実現されたのはどの部分か。従業員の行動や競合企業への反応から生じたのはどの部分か。

チーム全体で議論をして、長期的なパターンを見いだそう。会社の歴史を振り返り、明確なフェーズやステージを見つけるのだ。会社の成長期、停滞期はいつだったか。新たな市場や国に参入したのはいつか。

会社の成長を促したアイデアはどこで生まれたのだろうか。どのような壁にぶつかったのだろうか。運に恵まれていただろうか。予期していなかったチャンスで、成長が促進されたケースはあっただろうか。

ジョンソンの
ホワイトスペースモデル

戦略策定プロセスのなかで、行動に結びつかないアイデアが生まれることがある。その原因は、アイデアが組織に上手く適合しない場合もあれば、既存顧客に上手く適合しない場合もある。これらのアイデアは、無駄なのだろうか?

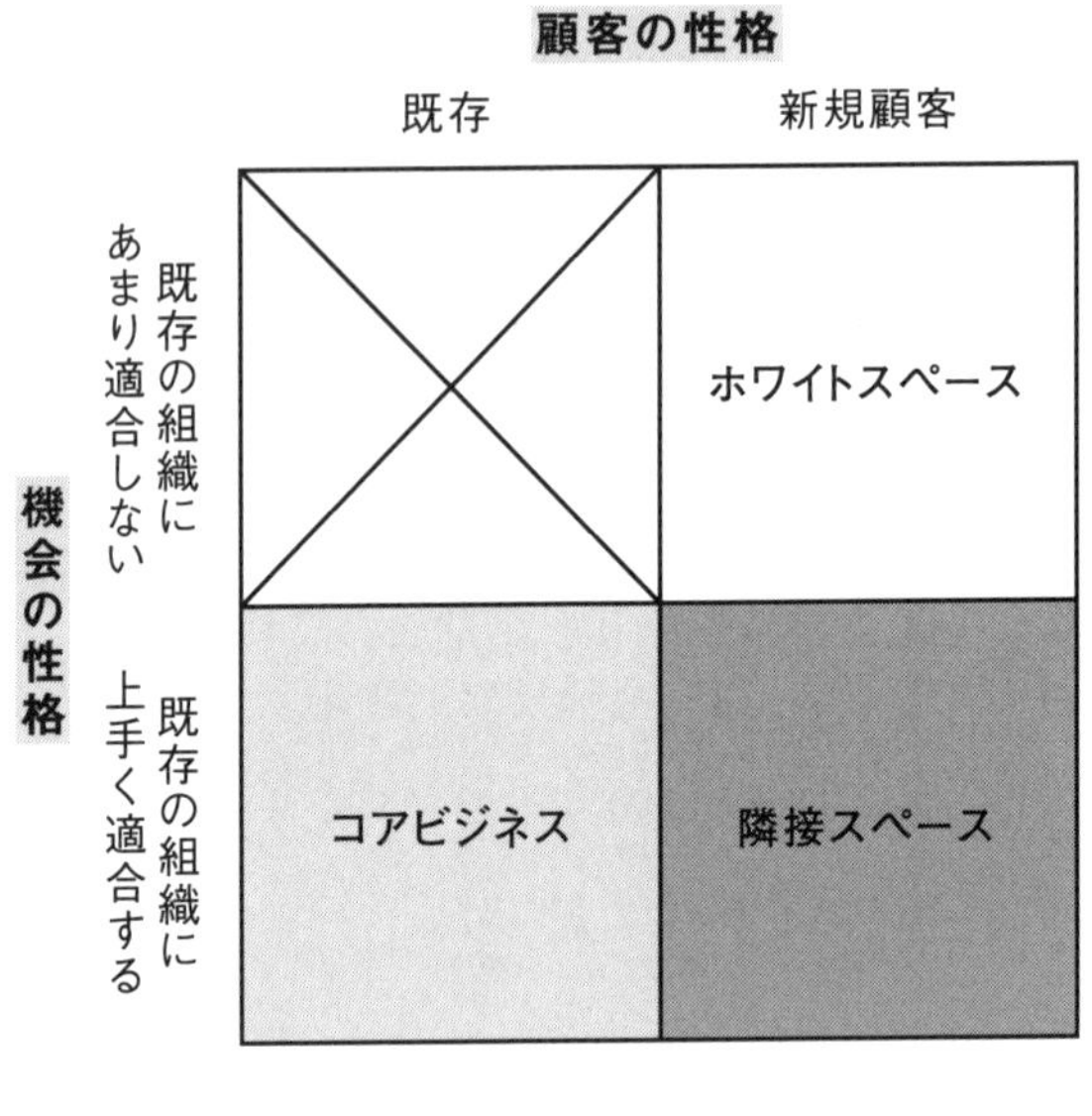

［使い方］

新たなアイデアや機会を創出したら、それらをどのように使えるかを検討しよう。それらは既存の、組織の能力と顧客の購入対象に上手くフィットするコアビジネスの一部だろうか。あるいは、それらは組織の既存の能力には適合しているが、新たな顧客が必要だったり、既存の顧客への販売方法に重要な変更を必要とする、コアビジネスの隣接に位置するものだろうか。

既存の組織に上手くフィットしない場合、その機会をどうすればよいだろうか？　もちろん、機会を無視するというのも1つの方法だ。だがその場合、価値あるアイデアを無駄にしてしまう可能性もある。また、競合企業に既存の顧客を奪うチャンスを与えてしまうことにもなりかねない。

同じアイデアを思いつく競合企業から自社を守る方法について考えよう。新たな能力を開発することもできるし、そのアイデアを守ることもできる。アイデアが既存の顧客に対して使えない場合は、その時点、または将来においてその知的財産を売却することも可能だ。

プラハラードのBOP
（ボトム・オブ・ザ・ピラミッド）

価値のある唯一の市場は、最も多くの金を持つ人々のいる層だと考えることは簡単だ。企業の多くが、このような間違った認識を持っている。ピラミッドの頂点にいる「富裕層」の顧客にばかり注目し、その下にある大きなチャンスを見過ごしてしまう。

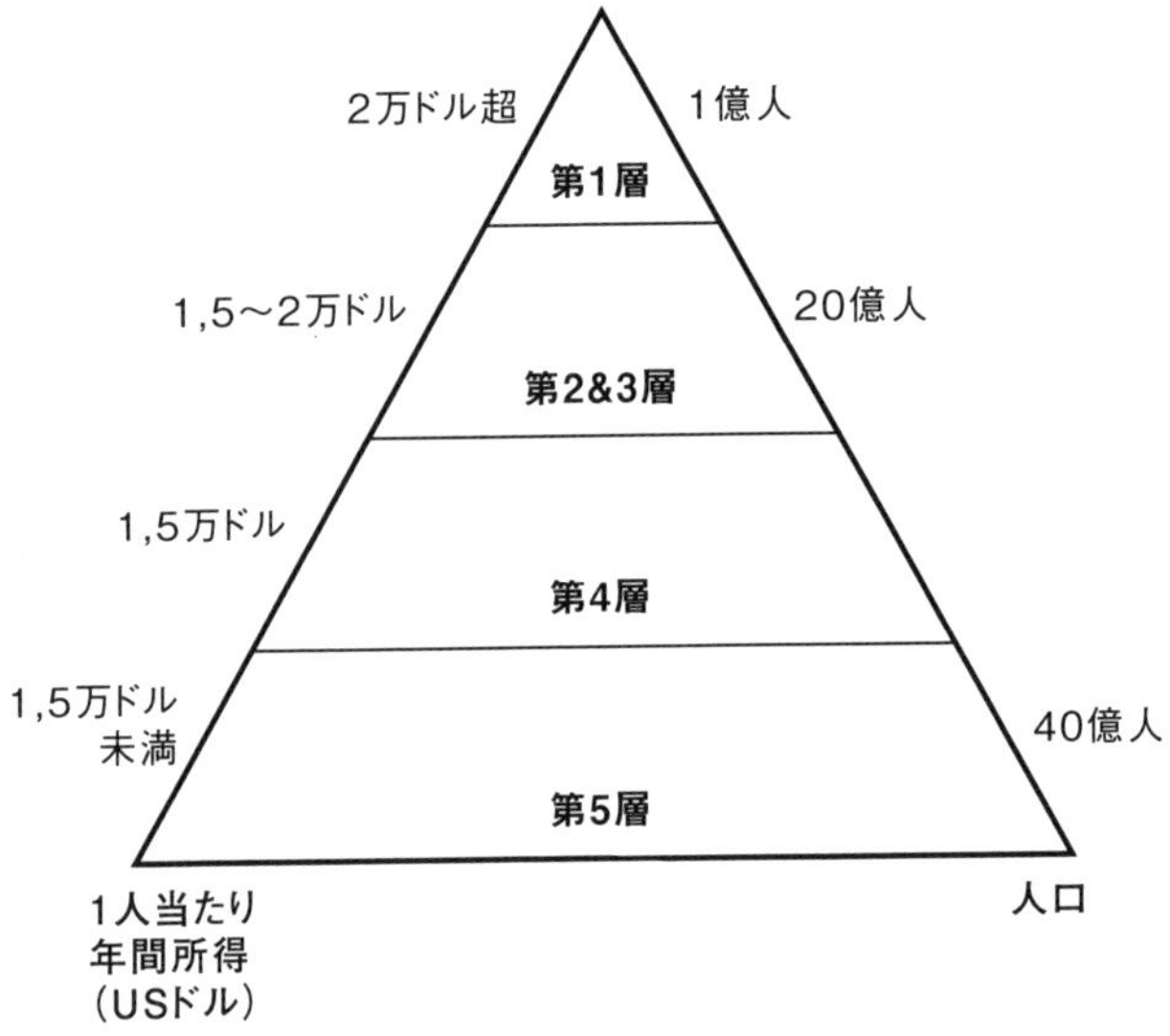

adapted and reprinted with permission from "The Fortune at the Bottom of the Pyramid" by C. K. Prahalad and stuart L Hart from the First Quarter 2002 issue of *strategy + business* magazine published by Booz & Company.

［使い方］

この考えの基本は、グローバルなピラミッドの底辺は、実はきわめて魅力的な市場であるということだ。収入が1日2ドル未満の層は、約40億人もいる。この市場は重要な価値を持っている。このピラミッドの底辺を、貧困問題や慈善事業の対象ではなく、企業や起業家に価値ある経済的チャンスを提供するものととらえるのだ。

このモデルによれば、ピラミッドの最下部にいる（比較的貧しい）人々は、ブランド志向があり、モバイルテクノロジーでインターネットにアクセスし、イノベーションに対してオープンである。いまブランドを浸透させておけば、ピラミッドの底辺の成長に合わせてブランドを成長させることができる。それは、ピラミッドの頂点よりもはるかに大きな成長だ。

成長戦略では、ピラミッドの一番下にある発展途上の市場も考慮すべきだ。この開発には、パフォーマンスと価格を両立させる抜本的な改善を目指したイノベーションや、製品メリットについての顧客の啓発、テクノロジーをできる限りシンプルで、パワフルで、弾力があるものにすることなどが含まれる。また、ピラミッドの頂点で販売しているよりもはるかに良い製品を開発する機会も提供する。

ステイシーの複雑性がもたらす戦略

アイデアや知識の創造のためには、複雑性がもたらすメリットが必要な場合もある。だが、完全なカオスな状態に迷い込みたくはない。逆に、策定した戦略から最大の効果を得るためには、それをある程度シンプルなものにすべき場合もある。だがその際には、簡易化しすぎて斬新さが失われないように注意しなければならない。

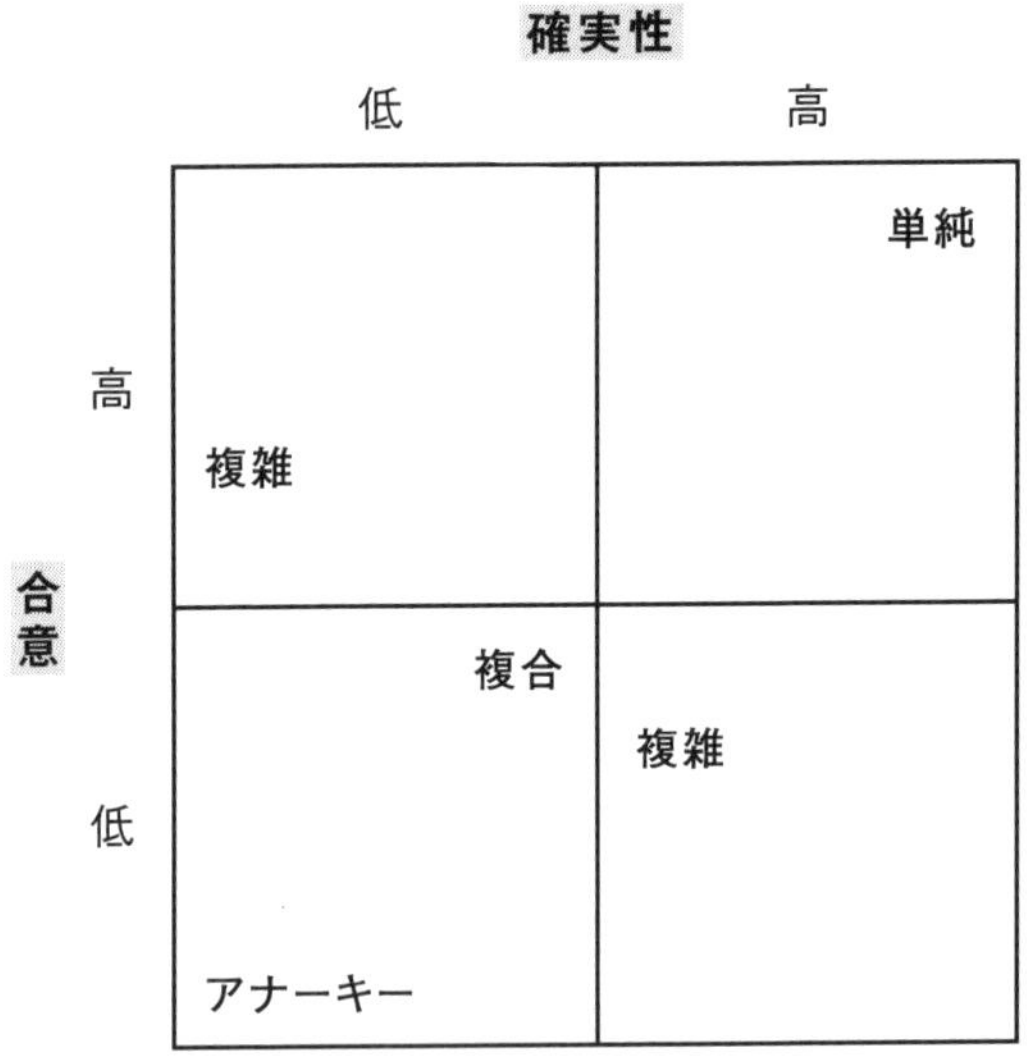

［使い方］

このアイデアの基本は、戦略が状況に基づいて策定（または使用）されるものであると理解することだ。会社によって、外部における不確実性と確実性の度合いは異なる。同じく、会社によって、将来の計画に関する社内の合意の度合いは異なる。この確実性と合意の度合いが、戦略と意思決定の背景になる。

将来の計画についての確実性と合意のレベルが低い場合、無秩序な事態に直面する可能性が高いと言える。また、起きていること（または起きていないこと）について、社員がそれを否定するという付加的な問題が生じる可能性もある。不確実性を減らし、合意のレベルを高めることで、社員が外部の不確実性に創造的な方法で反応できるようにしなければならない。

合意の度合いが高すぎると、問題を招いてしまうこともある。集団（チームや企業、国家）が、代替案を考えようとしなくなるからだ。市場の確実性がきわめて高い場合、消費者の意見に従うことで、戦略が容易（ただし、莫大な利益を得ることは難しくなる）になる場合がある。あるいは、市場の高い確実性を活用して、新たな市場やルールをつくることも可能だ。

おわりに

「戦略がどれほど美しくても、時には結果を直視しなければならない」

――ウィンストン・チャーチル

この本で説明してきた原則は、数世紀という長い歴史のなかで数多《あまた》の偉大な戦略家が提供してきたアドバイスと、世界の主導的な戦略研究者が提供する最先端の知恵のなかから、筆者が細心の注意を払って選んだものである。戦略ツールキットで紹介したモデルもすべて、理解し、実践に移す価値があるものばかりだ。本書を読むことは、価値ある投資になるはずだ。

この本は、ただ読んで、それで終わりにしてしまわないでいただきたい。これは、現実世界で戦略を実践するための本だ。重要なのは、この本をどれだけ実際に活用できるかだ。余白に書き込みをしてほしい。バスルームや移動中など、どこでも気兼ねなく読んでほしい。本がぼろぼろになってもかまわない。重要なのは、本書を読むことで、ミクロの視点とマクロの視点をあわせ持つ、強力な戦略家になるための知識を得ることだ。

本書を読むことで、過去・現在・未来につながりを見いだせるようになるだろう。持っている資源を、周囲で生じる出来事と結びつけられるようにもなるだろう。賢明かつ自発的に反応することで、これらの出来事から有意義な何かを実現できるようにもなるはずだ。

「人は私がどのような戦略で勝利したかを知ることはできる。だが、私がどのようにしてその戦略を編み出したかを知ることはできない」

――孫武

訳者あとがき

本書は「企業戦略」をテーマにした、とてもユニークな特長を持った本です。英語版（原題『THE STRATEGY BOOK』）は、イギリスのフィナンシャル・タイムズ社によるビジネスシリーズの一つとして刊行され、本国を初めとして各国で高い評価を得ています。著者は、ウォーリック・ビジネス・スクールでＭＢＡと博士号を取得した気鋭のコンサルタント、マックス・マキューン。確かな学術的知識があるだけでなく、大手企業からベンチャー企業に至るさまざまなビジネスの現場での豊富な経験を持つ著者による本書は、「知識」と「実践」の両面で、幅広い対象の読者を満足させるものになっています。

この本の大きな特長は、戦略についてのエッセンスを、24項目からなる「戦略原則」としてわかりやすくまとめているところです。読者は、戦略についての最新理論や具体的手法に飛びつく前に、まずはじっくりと「戦略とは何か」ということを考えることになります。ただし本書では、それは抽象的で漠然とした作業にはなりません。各項目は、基本的な概念の説明や、日本でも馴染み深い企業を題材にした成功事例の紹介、戦略原則が目指すべき「目標」とその「背景」、直面する「課題」、原則が実践されているかどうかをチェックリスト形式で確認できる「成功の基準」、その過程で陥りやすい「落とし穴」、具体的なアクションリストとしても活用できる「まとめ」などの項目を使って、実に適切に整理されているのです。

本書は全6部で構成されており、第1~5部は、「戦略家になる心構え」「戦略家として考える」「戦略の策定」「戦略で勝つ」「戦略を活かす」というタイトルが示すように、戦略の策定から実践まで、順番に読み進められるようになっています。同時に、興味のあるトピックから先に読むこともできる、非常に柔軟なつくりになっています。

また、この本のもう一つの大きな特長は、第6部「戦略ツールキット」です。著者が選りすぐったさまざまな戦略ツールを紹介し、実践の場で活用できるようになっています。まさに本書は、理論と実践の二つの側面から戦略をマスターできる、決定版と呼べる一冊と言えるでしょう。

著者は、調べ尽くした戦略の知見を、極めてシンプルで、かつ奥深い方法で読者に伝授していきます。彼も述べているように、本書は何度でも読み返し、使い込むことのできる実践的な本です。この本で身につく戦略的思考は、ビジネスで〝未来を形づくる〟ために役立つものばかりです。本書が皆様にとって有益なものになることを願ってやみません。

本書の翻訳にあたっては、大和書房の三浦岳氏、高橋千春氏に大変お世話になりました。厚くお礼申し上げます。

Figure on p.306 reprinted with the permission of Free Press, a Division of Simon & Schuster, Inc., from A FORCE FOR CHANGE: How Leadership Differs From Management by John P. Kotter. Copyright © 1990 by John P. Kotter, Inc. All rights reserved

Figure on p.308 from The Balanced Scorecard: Measures that divide performance, Harvard Business Review (Kaplan, R. S. and Norton, D. P., 2005)

Figure on p.310 from Making Strategy Work, Wharton School Publishing (Hrebiniak, L.G. 2005)

Figure on p.312 from The Condor business process re-engineering model, Managerial Auditing Journal, 15, 1/2, pp.42-46 (Vakola, M., Rezgui, Y. and Wood-Harper, T. 2000), Emerald Group Publishing Limited

Figure on p.320 from The executive mind and doubleloop learning, Organizational Dynamics, 11 (2), pp.5-22 (Argyris,C. 1982), ©1969, Elsevier

Figure on p.322 adapted from Strategy Safari, 2nd ed., Pearson (Mintzberg, H. 2009) p.12, with thanks to Henry Mintzberg

Figure on p.324 from Seizing the White Space, Harvard Business School Press, (Johnson, M., 2010)

Figure on p.326 adapted and reprinted with permission from 'The Fortune at the Bottom of the Pyramid' by C. K. Prahalad and Stuart L. Hart from the First Quarter 2002 issue of strategy+business magazine, published by Booz & Company. Copyright 2002. All rights reserved. www.strategy-business.com.

図版クレジット

Figure on p.276 from HOW COMPETITIVE FORCES SHAPE STRATEGY, Harvard Business Review, March/April (Porter, M., 1979)

Figure on p.278 reprinted with the permission of Free Press, a Division of Simon & Schuster, Inc., from COMPETITIVE ADVANTAGE: Creating and Sustaining Superior Performance, by Michael E. Porter. Copyright © 1985, 1998 by Michael E. Porter. All rights reserved

Figure on p.282 from reprinted with the permission of Free Press, a Division of Simon & Schuster, Inc., from COMPETITIVE ADVANTAGE: Creating and Sustaining Superior Performance, by Michael E. Porter. Copyright © 1985, 1998 by Michael E. Porter. All rights reserved

Figure on p.286 from The Knowledge-Creating Company: How Japanese Companies Create the Dynamics of Innovation by Ikujiro Nonaka and Hirotaka Takeuchi (1995) by permission of Oxford University Press, Inc

Figure on p.292 from 'Strategies of Diversification', Harvard Business Review 25(5), Sept-Oct, pp.113-25, (Ansoff, I.)

Figure on p.296 from Blue Ocean Strategy: How to create uncontested market space and make the competition irrelevant, Harvard Business School Press, (Kim, W. C. and Mauborgne, R., 2005)

Figure on p.298 from Evolution and Revolution as Organizations Grow, Harvard Business School Press, (Greiner, L. E., 1988)

Figure on p.300 from The Discipline of Value Leaders: Choose your customers, narrow your focus, dominate your market, Perseus Books (Treacy,M. and Wiersema, F. 1995)

Figure on p.302 from Images of Strategy, Cummings, S., and Wilson, David C., © 2003, Blackwell Publishing Ltd, Reproduced with permission of John Wiley A01_MCKE7092_01_SE_FM.indd 16 10/11/2011 11:23 Publisher's acknowledgements xvii & Sons Ltd

[著訳者紹介]
マックス・マキューン Max Mckeown, Ph.D.
コンサルタント。英国王立芸術協会フェロー。ウォーリック・ビジネス・スクールでMBAとPh.D.を取得。「カスタマー・サービス・ホール・オブ・フェーム」(顧客サービスの殿堂)に選出された他、パーソネル・トゥディ誌によって「ヒューマン・リソースのスター」としてノミネートされた。大小様々な企業での経験をもとに、戦略、イノベーション、リーダーシップ、チームビルディングなどについて、コンサルティング、講演、執筆活動を行う傍ら、イギリス国内外のラジオやテレビ、新聞などでも活躍している。著書に、『The Truth About Innovation』、『Unshrink』、『Adaptability:The Art of Winning』(いずれも未邦訳)などがある。

児島 修 こじま・おさむ
英日翻訳者。立命館大学文学部卒(心理学専攻)。訳書に『やってのける』『「勇気」の科学』(大和書房)、『毒になるテクノロジー』(東洋経済新報社)、『良いトレーニング、無駄なトレーニング』(草思社)、『シークレット・レース』(小学館文庫)などがある。

「戦略《せんりゃく》」大全《たいぜん》

2014年6月1日 第1刷発行

著 者 マックス・マキューン
訳 者 児島 修
発行者 佐藤 靖
発行所 大和書房
東京都文京区関口1-33-4
電話 03-3203-4511
装 幀 水戸部 功
図 版 松好那名(matt's work)
本文印刷 シナノ
カバー印刷 歩プロセス
製本所 小泉製本

ISBN978-4-479-79438-7

http://www.daiwashobo.co.jp